Dr. Oetker
Pilz-Kochbuch

Dr. Oetker
Pilz-Kochbuch

von Dr. Joachim Richter

Ceres-Verlag
Rudolf-August Oetker KG
Bielefeld

© Copyright

1983 by Ceres-Verlag
Rudolf-August Oetker KG, Bielefeld

Manuskript

Dr. phil. Joachim Richter, München

Fotos:

Studio Büttner, Bielefeld
Christiane Pries, Steinhagen

Herstellung:

Mohndruck, Gütersloh

Nachdruck, auch auszugsweise, nur
mit unserer ausdrücklichen Genehmigung
und mit Quellenangabe gestattet.

1. Auflage

ISBN 3-7670-0-173-X

Kleine Kulturgeschichte der Speisepilze

Von der Entstehung der Pilze und ihrer Lebensweise hatte man lange Zeit nur unklare Vorstellungen. Erst im 16. Jahrhundert setzte die ernstzunehmende wissenschaftliche Beobachtung und Beschreibung ein. Die Entdeckung des Mikroskops um 1590 war eine wichtige Voraussetzung für die weitere Forschung. Zu Beginn des 19. Jahrhunderts entwickelte der holländische Botaniker C. H. Persoon die erste wissenschaftliche Systematik, und in der Folge erkannten die Mykologen, daß Pilze nichts anderes sind als die Fruchtkörper der in der Erde unendlich weit verzweigten feinen Gebilde, die Myzelien genannt werden.

Der Wunsch, Pilze nicht mehr mühsam suchen zu müssen und nur zufällig zu finden, hat schon die Römer auf die Idee gebracht, sie zu züchten. Auch war bei der Zucht von Pilzarten, von denen man sicher wußte, daß ihr Genuß keine schädlichen Folgen für den Menschen hatte, die Gefahr ausgeschlossen, mit der das Sammeln von Wildpilzen bis heute für den Laien verbunden ist. Es gab und gibt Pilze, die wegen ihres Wohlgeschmacks, aber sicher auch wegen ihrer Seltenheit seit altersher als besonders edel und kostbar gelten; dazu zählen vor allem die Trüffeln, aber auch Morcheln und die schon bei den Römern hochgeschätzten Kaiserlinge. Diese Pilze sind solche Raritäten, daß sich vor allem die Feinschmeckerküche ihrer angenommen hat und sie als erlesene Zutaten — meist in kleinen Mengen — verwendet. Aber auch andere bekannte und beliebte Pilzarten, die früher in der Hausmannskost ihren Platz hatten, sind heute zu teuren Delikatessen geworden, wie die Preise für Steinpilze und Pfifferlinge zeigen. Dabei weisen viele andere Pilze, die nur weniger bekannt sind und deshalb nicht gesammelt werden, ebenfalls eine vorzügliche Qualität auf.

Trotz aller Klagen der Pilzfreunde — noch immer sind in unseren Wäldern kulinarische Pilz-Schätze verborgen; um sie zu erhalten, muß allerdings achtsam mit ihnen umgegangen werden. Sie werden nämlich nicht nur durch Umweltveränderungen — vor allem durch die Zerstörung von ursprünglichen Naturlandschaften —, sondern auch durch die Gedankenlosigkeit übereifriger Sammler bedroht.

Zum Glück für die Wildpilzarten und zum Glück für die unkundigen Pilzliebhaber werden heute auch Zuchtpilze von hervorragender Qualität angeboten. Durch sie erhalten die Wildpilze in Wäldern und Wiesen eine Überlebenschance, ihre Bedrohung durch den allzu eifrigen Sammler wird geringer, während dem Pilzfreund ein Genuß ohne Risiko garantiert ist.

Vorteilhaft ist für den Verbraucher außerdem, daß Kulturpilze (vor allem Champignons) das ganze Jahr über wachsen und daß sie aufgrund der besonderen biologischen Anbaumethoden mit Sicherheit frei von belastenden Umweltschadstoffen sind.

So werden Pilze vorbereitet

Wer seine Pilze selber sammelt, trifft die ersten Vorbereitungen für das spätere Pilzgericht am besten gleich an der Fundstelle; Erde, Blätter, Tannennadeln am Stiel werden mit dem Messer sauber abgekratzt, die eventuell verschmutzte Huthaut gesäubert. Die klebrige Haut mancher Pilze, zum Beispiel beim Goldröhrling oder Butterpilz, sollte an Ort und Stelle abgezogen werden, damit die Pilze beim Transport nicht zusammenkleben. (Befördert werden Pilze übrigens nie in Plastiktüten oder -taschen, sondern am besten in einem luftigen Korb.) Auch Madengänge sollten sofort herausgeschnitten werden. Dabei stellt sich gleich heraus, ob es sich überhaupt lohnt, einen Pilz mit nach Hause zu nehmen. Daheim wird der ganze Pilzfund auf einem großen Bogen Papier ausgebreitet, genau in Augenschein genommen und möglichst sofort danach zubereitet, denn frisch schmecken Pilze am besten.

Gekauft sollten Wildpilze nur dort werden (in Fachgeschäften oder auf Märkten), wo die Gewißheit gegeben ist, daß diese Pilze fachkundig überprüft worden sind. Frische Pilze sind trocken und fest. Auf keinen Fall sollten feuchte oder gar nasse Pilze gesammelt oder eingekauft werden und ganz gewiß keine, die angefault oder angeschimmelt sind.

Pilze putzen macht Spaß, wenn eine gewisse Vorarbeit schon an der Fundstelle geleistet wird. Verschmutzte Stellen werden vorsichtig abgeschabt, die Huthaut nur da entfernt, wo es zur Reinigung oder Entfernung von Hutschleim nötig ist. Röhren oder Lamellen sollen als besonders eiweißreiche Teile im allgemeinen mitverwendet werden.

Beim Putzen findet zudem noch einmal eine Schlußkontrolle statt, die vor allem dann angebracht ist, wenn auch weniger erfahrene Sammler — wie z. B. Kinder — bei der Ernte mitgewirkt haben.

Pilze sollten nur kurz mit Wasser abgespült werden, denn eine allzu gründliche Säuberungsaktion schadet dem Aroma. Am besten werden sie einzeln unter einem kräftigen Wasserstrahl gereinigt, damit Erde und Tannennadeln, die noch zwischen den Lamellen oder in Fugen und Winkeln stecken, herausgespült werden. Einige Pilze, wie Morcheln oder auch Grünlinge, verlangen eine gründlichere Reinigungsprozedur, zum Beispiel mit einem Pinsel oder Bürstchen und viel Wasser. Besonders empfindlich gegen Wasser sind die Pilze, die Milch enthalten, wie Brätlinge oder Reizker. Wenn sie nicht allzu verschmutzt sind, sollte für ihre Reinigung ein feuchtes Tuch genügen. In der Pilzküche der Mittelmeerländer ist das Reinigen von Pilzen mit Wasser ohnehin verpönt, dort werden sie nur mit einem Tuch abgewischt. Es versteht sich von selbst, daß bei diesem Verfahren nur feste, trockene, absolut frische Pilze verwendet werden können.

Manche Pilze, wie Rotkappen, verfärben sich nach dem Anschneiden. Sie sollten mit Zitronenwasser abgespült werden.

Das Schneiden der Pilze erfolgt erst nach dem Abspülen mit Wasser, damit nicht unnötig Aroma verloren geht.

Für Salate werden nur die Pilzhüte verwendet. Sie werden so feinblättrig wie möglich geschnitten, denn dann entfalten sie ihr volles Aroma.

Auch für Pilzsoßen und -suppen empfiehlt es sich, die Pilze sehr dünn aufzuschneiden.

Bei Pilzeintöpfen, die meist aus gemischten Pilzen zubereitet werden, sollten kleine Pilze nur halbiert, größere geviertelt oder geachtelt werden.

Von Pilzen, die fritiert, gegrillt oder paniert in heißem Fett ausgebacken werden sollen, werden die ganzen Pilzhüte genommen.

Eine Delikatesse sind süß-sauer eingelegte Pilze. Dafür sollten aber immer nur besonders kleine Exemplare ausgewählt werden.

Qualitätsübersicht

Die klassischen, seit altersher geschätzten Speisepilze sind Trüffel und Morchel, Kaiserling und verschiedene Champignonarten sowie Steinpilz und Pfifferling.
Sie stehen auch heute noch in vielen Ländern an der Spitze der bevorzugten Pilzarten, vielleicht mit Ausnahme des Pfifferlings, der schwer verdaulich ist und von manchen Menschen überhaupt nicht vertragen wird.
Auch Maronen, einige Täublingsarten und Schirmpilze gelten heute bereits als klassische Qualitätspilze. Der Grünling (Echter Ritterling) ist nicht überall bekannt, wird aber dort, wo er vorkommt, ebenfalls hoch geschätzt.
In Frankreich zählt auch der Gefelderte Grüntäubling zu den „Klassischen", in Italien Maipilz, Austernpilz und Goldtäubling.
Erstklassige Speisepilze sind außerdem Butterpilz, Rotkappe, Schopftintling, Stockschwämmchen, Reifpilz, Reizker, Brätling, Totentrompete und junge Boviste.
Alle diese Pilze haben ein eigenes unverwechselbares Aroma und sollten deshalb möglichst ungemischt zubereitet werden.
Auch beim Trocknen und bei der Zubereitung von Pilzessenz empfiehlt sich die Trennung der Arten, die übrigens bis um die Jahrhundertwende selbstverständlich war.
Allgemein gilt für die Verwendung in der Küche folgende Faustregel:
Für Suppen, Soßen, Gemüse, Mischgerichte, Pilzgehacktes können alle genießbaren Arten verwendet werden.
Zum Braten, Grillen, Backen eignen sich nur trockene Arten.
Für Salat werden festfleischige Pilze verwendet.
Zum Einlegen in Essig eignen sich nur junge feste Pilze.
Zum Trocknen und für Pilzpulver sind Pilze mit ausgeprägtem Aroma zu bevorzugen.
Pilze enthalten kaum Fett und nur wenig Kohlenhydrate, dafür aber Eiweiß und wichtige Mineralstoffe, z. T. in der Natur sonst nur selten vorkommende Vitamine und die für die Verdauung so notwendigen Rohfasern.

So werden Pilze zubereitet

Es gibt unzählige Möglichkeiten, Pilze schmackhaft und delikat zuzubereiten. In den meisten Fällen, vor allem bei sehr aromatischen Pilzen, ist die einfachste Zubereitungsart auch die beste. Pilzgerichte sollten nicht überwürzt werden, denn dann geht viel von dem einmaligen Eigengeschmack mancher Pilzarten verloren.

Pilze dünsten: Die geputzten, mit Wasser abgespülten und geschnittenen Pilze unter Zugabe von Fett im eigenen Saft ohne Bräunung garen. Dabei wird eine Temperatur von etwa 100° erreicht, im Backofen etwa 180°.

Pilze braten: Ganze Pilzhüte oder größere Stücke in heißem Fett in einer Bratpfanne oder Kasserolle oder auf der Herdplatte in relativ kurzer Zeit garen. Diese Zubereitungsart kommt den Pilzen besonders entgegen, da sie wegen der hohen Temperatur (etwa 200°) schnell gegart sind und gut bekömmlich werden. Die Bratzeit kann zwischen 5 und 15 Minuten liegen. Gewürzt werden die Pilze oder Pilzstücke erst kurz vor dem Servieren.

Pilze schmoren: Die Pilze scharf anbraten und anschließend unter Zugabe von wenig Fleischbrühe oder Wasser im geschlossenen Gefäß garen. Unter Umständen muß weitere Flüssigkeit nachgegossen werden. Diese Zubereitungsart ist nicht für alle Pilze geeignet, weil durch das starke Anbraten Röststoffe entstehen, die die Verdaulichkeit mindern.

Pilze dämpfen: Die feingeschnittenen Pilze im Siebeinsatz eines Dämpfers über kochendem Wasser im Dampf garen, ohne daß sie selbst mit Flüssigkeit in Berührung kommen. Dabei wird in dem geschlossenen Topf eine Temperatur von etwa 100° erreicht. Dämpfen ist eine für Pilze wie für alle anderen Gemüse schonende Art der Zubereitung und dem Kochen auf jeden Fall vorzuziehen.

Pilze kochen ist eine nicht empfehlenswerte Art der Pilzzubereitung, denn sie werden dabei in reichlich Flüssigkeit bei etwa 100° gegart und geben allzu viele Aromastoffe ab. Zur Herstellung einer kräftigen Pilzbrühe werden die Pilze in kaltem Wasser aufgesetzt und im geschlossenen Topf etwa 1 Stunde gekocht.

Pilze fritieren: Unterteilte Pilzhüte in Ausbackteig wälzen und in heißem Fett (etwa 200°) schwimmend ausbacken. Die Pilze herausnehmen, sobald der Teig goldgelb ist, und zum Abtropfen auf ein Sieb oder auf Küchenkrepp gelegt. Sie sollen erst nach dem Garen gesalzen werden.

Pilze gratinieren: Gedünstete Pilze in eine Auflaufform schichten, mit Sahne übergießen und mit Käse bestreuen und 20 Minuten im vorgeheizten Backofen überbacken, bis sich eine goldbraune Kruste bildet.

Pilze ausbacken: Pilzhüte salzen, pfeffern und panieren (Panade fest andrücken) und in reichlich heißem Fett goldgelb und knusprig werden lassen.

Pilze grillen: Pilzhüte durch unmittelbare Einwirkung von Hitze (350°) auf einem Grillrost garen. Der Rost sollte mit Fett eingestrichen werden. Gewürzt wird erst nach der sehr kurzen Garzeit.

Würzen mit Maß

Gewürze und Kräuter sollen das Eigenaroma der Pilze nicht zudecken, sondern unterstreichen. Sehr aromatische Pilze verlangen kaum noch zusätzliche Würze oder Zutaten, nur Gerichte aus Pilzen mit weniger kräftigem Geschmack werden mit den verschiedensten Gewürzen abgeschmeckt.

Dem Pilzaroma kommt unter allen Kräutern am meisten der Geschmack von frischer Petersilie entgegen, aber auch Kerbel, Pimpinelle und Basilikum sind sehr geeignet. Kräuter mit starkem Eigengeschmack, wie Thymian, Liebstöckel, Dill, Schnittlauch und vor allem Knoblauch, können ein Gericht aus weniger aromatischen Pilzen oder aus Pilzen mit nicht so geschätztem Aroma (Hallimasch, Habichtspilz) kräftig beleben. Unter den Gewürzen nimmt, abgesehen vom Salz, Pfeffer den ersten Platz ein; an seine Stelle tritt in den von der ungarisch-balkanischen Küche beeinflußten Regionen meist Pulverpaprika, das auch gelegentlich durch Curry ersetzt werden kann. Zu manchen Pilzgerichten paßt dagegen besser Muskat oder Kümmel.

Um den leicht bitteren Geschmack mancher durchaus wohlschmeckender Pilze zu übertönen, kann das Gericht mit Zitrone oder Essig leicht gesäuert werden.

Mit der Zutat Salz, die an jedes Pilzgericht gehört, ist in jedem Falle sparsam umzugehen. Der Griff ins Salzfaß findet immer erst unmittelbar vor dem Anrichten, also nach Ende der Garzeit, statt, weil sonst den Pilzen der Saft entzogen würde.

Eine Zutat, die zwar keine Würze ist, dem Pilzgericht aber dennoch zu unnachahmlichem Geschmack verhilft, ist Sahne, saure Sahne oder Crème fraîche.

Pilze roh genießen

Für den Rohgenuß sind nur wenige Wildpilze geeignet. Zu ihnen gehören Steinpilz, Milchbrätling sowie einige Täublingsarten. Viele Pilze dürfen — obwohl sie gekocht gute Speisepilze sind — im rohen Zustand nicht gegessen werden.

Zu ihnen gehören: Rötelritterling, Rotkappe, Birkenpilz, Riesenschirmpilz, Marone, Hallimasch, Perlpilz. Auch Morcheln sind roh unbekömmlich.

Grundsätzlich gilt beim Essen roher Pilze, daß sie nur in kleinsten Mengen genossen werden sollen, weil sie noch größere Anforderungen an den Verdauungsapparat stellen als gegarte Pilze. Abgesehen von der Bekömmlichkeit sind die Möglichkeiten zur Zubereitung von Pilzgerichten so vielfältig, daß der Rohgenuß wirklich nur eine Nebenrolle spielen sollte.

Das richtige Geschirr

Die verschiedenen Zubereitungsarten, von denen auf den Seiten 7 und 8 die Rede ist, erfordern natürlich unterschiedliches Geschirr. Grundsätzlich sollte bei der Verwendung von Pilzen auf Pfannen und Töpfe aus Aluminium, Gußeisen oder Kupfer verzichtet werden. Geschmack und Farbe der Pilze könnten davon beeinträchtigt werden.
Empfehlenswert zum Braten und Schmoren sind kunststoffbeschichtete Pfannen, zum Dünsten und Kochen beschichtete Töpfe oder ein Geschirr aus feuerfestem Glas, zum Gratinieren eine feuerfeste Auflaufform, in der dann auch gleich serviert werden kann. Das Angebot an geeignetem Geschirr ist heute so vielfältig, daß sich gewiß in jedem Haushalt eine passende Pfanne, Form oder der richtige Topf findet.
Darüber hinaus können Pilze auch in Alufolie gegart werden. Dann allerdings sollten ein Stück Butter und einige frischgehackte Kräuter mit in die Folie gegeben werden.
Die Garzeit ist bei diesem Verfahren besonders kurz, Vitamine und Aromastoffe werden geschont.

Pilzvorrat zu jeder Jahreszeit

Pilze einfrieren: Wie alle anderen Arten von frischem Gemüse können auch Pilze eingefroren werden. Allerdings sollten nur junge, frische und vor allem trockene Exemplare auf diese Weise haltbar gemacht werden. Es versteht sich von selbst, daß sie vorher sorgfältig gereinigt werden, und es ist darauf zu achten, daß sie keine wurmigen Stellen haben.
Die Pilze werden küchenfertig geschnitten, 4–6 Minuten blanchiert, gut abgetropft auf ein Tuch gelegt und trocken in Portionsbehälter gefüllt.
Besonders geeignet zum Einfrieren sind vor allem Champignon, Steinpilz, Marone, Rotkappe, Frostschneckling und Stockschwämmchen. Pfifferlinge sollten nicht eingefroren werden, sie bekommen ein unangenehmes Aroma und werden hart.
Das Gefriergerät wird, bevor die Pilze hineinkommen, auf eine Temperatur von mindestens −30° gebracht, damit sie einem Kälteschock ausgesetzt sind. Gelagert werden sie bei etwa −20°. Eingefrorene Pilze sind mehrere Monate haltbar.
Bei Kulturchampignons und ganz frisch gesammelten Pilzen kann auf das Blanchieren verzichtet werden. Gefrorene Pilze können genauso verarbeitet werden wie frische, sie kommen in noch gefrorenem Zustand in das heiße Fett oder die Flüssigkeit. Es versteht sich wohl von selbst, daß sie sofort verbraucht und auf keinen Fall wieder eingefroren werden.
Pilze trocknen: Für junge Pilze mit festem Fleisch, die nicht zuviel Wasser enthalten und nicht schnell verderblich sind, ist Trocknen eine ideale Methode der Haltbarmachung. Bei sehr aromatischen Pilzen wird die Würzkraft durch das Trocknen noch erhöht. Da die Pilze vor dem Trocknen nicht gewaschen werden sollen, empfiehlt es sich, nur solche Arten auf diese Weise zu konservieren, die relativ sauber aus dem Wald mitge-

bracht bzw. die ohne Wasser gesäubert werden können.

Die Pilze werden entweder blättrig geschnitten und zum Trocknen auf einem Stück Packpapier ausgebreitet oder die Scheibchen werden auf einen Faden gezogen und zum Trocknen aufgehängt. Sie können an der Luft (nicht im Zug!) oder im offenen (!) Backofen bei etwa 35° getrocknet werden. Die Pilzstückchen werden unter häufigem Wenden solange darin gelassen, bis sie knisternd trocken sind. Die Pilze dürfen auf keinen Fall schwitzen oder garen, das würde sie sofort verderben. Anschließend werden die getrockneten Pilze in ein Schraubdeckelglas gefüllt und gut verschlossen. Sie können bis zur nächsten Ernte ohne Aromaverlust aufgehoben werden. Mit getrockneten Steinpilzen und Champignons kann wie mit frischen Pilzen verfahren werden, allerdings müssen sie vorher ein bis zwei Stunden in Wasser eingeweicht werden. Das Einweichwasser kann mitverwendet werden.

Von getrockneten Pilzen wird nur etwa ein Zehntel der angegebenen Frischpilz-Menge benötigt.

Trockenpilze können aber auch im Mörser fein zerstoßen und in pulverisierter Form als kräftige Pilzwürze für Suppen, Soßen und Gemüsegerichte verwendet werden.

Pilze einkochen: Früher, als es noch keine Gefriergeräte gab, war das Einkochen die beste Methode, Pilze haltbar zu machen. Ihr Vorteil gegenüber dem Trocknen ist, daß sich nahezu alle Speisepilze dafür eignen. Nach dem Putzen und Waschen werden die Pilze in wenig Wasser ganz kurz blanchiert und auf ein Sieb gegeben. Das Kochwasser sollte aufgehoben werden. Die Gläser (1 Liter Inhalt) und Deckel werden gründlich gespült, die Einkochringe ausgekocht. Dann kommen die abgetropften Pilze ins Glas, ein Teelöffel Salz dazu und etwa ein Viertelliter von dem Kochwasser. Sie müssen zweimal eingekocht werden, beim ersten Mal 1 Stunde bei 100° Einkochtemperatur. Sie müssen dann völlig abkühlen und werden am folgenden Tag noch einmal mindestens 30 Minuten eingekocht. Die Pilze werden wie Frischpilze verarbeitet, das Wasser kann für Suppen und Soßen verwendet werden.

Die Pilze können auch unblanchiert in Gläser gefüllt werden, doch fallen sie beim Einkochen so zusammen, daß das Glas später kaum halbvoll ist. Eingekochte Pilze werden nicht länger als bis zur nächsten Saison aufgehoben. Wenn ein Glas aufgeht, muß der Inhalt weggeworfen werden; das gilt auch, wenn beim Öffnen der Gläser ein unangenehmer Geruch wahrgenommen wird.

Pilze einsalzen und silieren: Eine einfache, altbewährte Konservierungsmethode, die sich vor allem für festfleischige Pilze eignet, ist das Einsalzen. Dazu werden die Pilze geputzt, in dünne Scheiben geschnitten und in ein weites Glas oder einen Steintopf gefüllt. Auf eine etwa zweifingerdicke Schicht Pilze kommt eine dünne Schicht Salz, darüber die nächste Pilzschicht usw. Für 500 Gramm Pilze werden etwa 50 Gramm Salz benötigt. Als Würze können Knoblauchzehen, Pfefferkörner, Salbei- oder Thymianzweige oder Lorbeerblätter hinzugefügt werden. Zum Schluß werden die Pilze mit einer Salzlake (1 Liter Wasser mit 50 Gramm Salz zum Kochen bringen und abkühlen lassen) übergossen, von der sie stets ganz bedeckt sein müssen. Als Deckel dient ein Teller, der das Gefäß fast ganz abschließt und mit einem Stein beschwert wird. Vor Gebrauch müssen die Pilze einige Stunden — am besten über Nacht — gewässert werden.

Silieren von Pilzen bedeutet, sie durch Milchsäuregärung haltbar zu machen. Hier handelt es sich um das gleiche Prinzip wie beim Einlegen von Sauerkraut. Für dieses Verfahren eignen sich vor allem festfleischige Pilze, wie zum Beispiel Täublinge, Milchlinge, Reifpilze, Hallimasch, Pfifferlinge; Pilze mit Röhren (Butterpilze, Maronen usw.) werden dabei weich und schleimig. Die geputzten, in größere Stücke geschnittenen Pilze werden kurz aufgekocht, zum Abkühlen auf ein Sieb gegeben und in einen Steinguttopf gefüllt. Auf jedes Kilogramm Pilze kommen 15 Gramm Salz und 15 Gramm Zucker.

Um die Gärung anzuregen, kann 1 Eßlöffel saure Milch hinzugegossen werden. Dann wird die Oberfläche mit einem doppelt gelegten sauberen Tuch abgedeckt, darüber kommt ein flacher umgedrehter Teller, der das Gefäß fast abschließt. Der Teller wird fest auf die Pilze gedrückt und mit einem Stein oder Gewicht beschwert. Bei Zimmertemperatur (etwa 18°) beginnen die Pilze im Steintopf nach 10 – 14 Tagen zu gären; es ist darauf zu achten, daß die Flüssigkeit, die sich nun bildet, immer bis über den Tellerrand reicht, andernfalls muß etwas Salzlake hinzugegossen werden. Sobald die Gärung abgeschlossen ist, können die Pilze verwendet werden. Vor der Zubereitung werden sie kurz gewässert. Silierte Pilze halten einige Monate.

Aufwärmen

Unter Pilzliebhabern ist die Frage des Aufwärmens von Gerichten aus Frischpilzen oft Gegenstand langer Diskussionen. Es kann davon ausgegangen werden, daß Pilzgerichte ohne Ei bzw. Mayonnaise üblicherweise auch am nächsten Tag wieder aufgewärmt werden können; Gerichte aus Kulturchampignons sogar nach 2 Tagen ohne jedes Bedenken.

Allerdings sollten bei der geringsten Geruchs-, Geschmacks- oder Farbveränderung die Pilze weggeworfen werden.

Auch tiefgekühlte oder eingemachte Pilze müssen vor der Verwendung nach diesen Merkmalen überprüft werden.

Die goldenen Regeln für Pilzliebhaber

Da es keine Regel gibt, nach der eßbare von giftigen Pilzen unterschieden werden können, sollten Waldpilze wirklich nur von Pilzkennern gesammelt werden.

Jeder, der Pilze zum Verzehr sammelt, sollte ein gutes Bestimmungsbuch neueren Datums besitzen. Im Zweifel wird ein Pilzberater aufgesucht. Entsprechende Anschriften sind bei Gemeindeverwaltungen oder Gesundheitsämtern erhältlich.

Zu diesen Pilzberatungsstellen werden einige Pilze derselben Art — möglichst von verschiedenen Wachstumsstadien — mitgenommen.

Gesammelt werden nur trockene und feste, junge Speisepilze. Immer bleiben nasse, zerfressene und alte Pilze stehen.

Nie mehr Pilze sammeln, als verwendet werden können.

Speisepilze werden am Fundort vorgereinigt. Zu Hause beim Putzen werden sie noch einmal überprüft.

Weil Pilze schwer verdaulich sind und lange im Magen liegen, sollen sie möglichst nicht als Abendmahlzeit gereicht werden.

Bei Unwohlsein nach Pilzverzehr ist sofort ein Arzt aufzusuchen.

Butterpilz

An seiner glatten Huthaut ist er zu erkennen, der wohl-
schmeckende Butterpilz mit dem schönen braunen Hut
und dem gelben Schwamm. Der junge Pilz ist unter seiner dicken Schleimschicht dunkelbraun, sein Hut hat
die Form einer Halbkugel und ist mit dem Stiel durch
ein dünnes weißliches Häutchen verbunden. Dieses
Häutchen verschwindet beim älteren Pilz, und nur ein
violett-brauner, später schwärzlicher Ring bleibt am
Stiel zurück. Der Butterpilz wächst von Juli bis Oktober
in manchen Jahren massenhaft unter Kiefern im Flachland wie im Gebirge.
Das weißliche bis gelbliche Fleisch riecht angenehm
und ist sehr bekömmlich. Die klebrige Huthaut sollte
dem Butterpilz gleich im Wald abgezogen werden, weil
die gesammelten Pilze sonst zusammenkleben. Der
Stiel wird abgeschabt.
Traditionell wird er zum Braten bevorzugt und ist dafür
auch am besten geeignet. Gekochte Butterpilze werden
leicht schleimig.

Auberginen-Pilz-Auflauf

	Von
2 großen Auberginen	die Stielansätze entfernen, die Auberginen waschen, abtrocknen, in Scheiben schneiden, mit
Salz	bestreuen, etwa 30 Minuten stehenlassen, trockentupfen
Fritierfett	in einer Friteuse auf 180 Grad erhitzen, die Auberginenscheiben portionsweise darin etwa 2 Minuten fritieren, auf Küchenpapier abtropfen lassen
400 g Butterpilze	putzen, abspülen, abtropfen lassen, in dünne Scheiben schneiden
2 Eßl. Butter	zerlassen, die Pilzscheiben darin etwa 5 Minuten dünsten, mit
Salz schwarzem Pfeffer	würzen
	für die Tomatensoße
2 Eßl. Olivenöl	erhitzen
1 kleine Zwiebel	abziehen, würfeln, in dem Öl glasig dünsten lassen
1 Knoblauchzehe	abziehen, fein hacken, zu den Zwiebelwürfeln geben, mitdünsten lassen
etwa 200 g Tomaten (aus der Dose)	mit der Gemüseflüssigkeit dazugeben, die Tomaten etwas zerkleinern, zum Kochen bringen, mit Salz, Pfeffer würzen
1 Eßl. gehackte Thymianblättchen 1 Teel. gehackte Rosmarinblättchen	unterrühren, die Soße etwa 10 Minuten kochen lassen eine gefettete flache Form mit den fritierten Auberginenscheiben auslegen, darauf die gedünsteten Pilze geben, die Tomatensoße darüber gießen, mit
100 g fein zerbröckeltem Schafskäse	bestreuen die Form auf dem Rost in den vorgeheizten Backofen schieben, den Auberginen-Pilz-Auflauf hellbraun überbacken
Strom:	Etwa 250
Gas:	Etwa 5
Backzeit:	Etwa 20 Minuten.
Beigabe:	Endiviensalat.

Pilzpfannkuchen

400 g Butterpilze	putzen, abspülen, abtropfen lassen, in dünne Scheiben schneiden
2 Eßl. Butter	zerlassen, die Pilze darin in 10 – 15 Minuten gar dünsten lassen
1 Knoblauchzehe	abziehen, durchpressen, hinzufügen die Pilze mit
Salz Pfeffer	würzen, warm stellen

14

	für die Pfannkuchen
250 g Weizen- mehl	in eine Schüssel sieben, in die Mitte eine Vertiefung eindrücken
2 Eigelb Salz 250 ml (¼ l) Milch 250 ml (¼ l) Wasser	mit verschlagen, etwas davon in die Vertiefung geben, von der Mitte aus Eiermilch und Mehl verrühren, nach und nach die übrige Eiermilch hinzufügen, darauf achten, daß keine Klumpen entstehen
2 Eiweiß	steif schlagen, unter den Teig heben
Butter oder Margarine	in einer Pfanne erhitzen, eine dünne Teiglage hineingeben, von beiden Seiten goldgelb backen aus dem restlichen Teig weitere Pfannkuchen backen die Pilze auf die Pfannkuchen geben, die Pfannkuchen zusammenrollen, nebeneinander in eine flache gefettete Form legen
5 – 6 Eßl. Sahne	darüber gießen, mit
50 g geriebe- nem Parmesan- Käse	bestreuen die Form auf dem Rost in den vorgeheizten Backofen schieben, die Pilzpfannkuchen goldbraun überbacken
Strom:	200 – 225
Gas:	4 – 5
Backzeit:	Etwa 25 Minuten.
Beigabe:	Tomatensalat mit Basilikum.

Butterpilze in Kerbelcreme

500 g junge Butterpilze	putzen, abspülen, abtropfen lassen, in dünne Scheiben schneiden
3 Eßl. Butter	zerlassen, die Pilze darin in etwa 10 Minuten gar dünsten lassen, mit
Salz schwarzem Pfeffer	würzen
1 Becher (150 g) Crème fraîche	mit
1 Eßl. gehackte Kerbel- blättchen	verrühren, unter die Pilze rühren, erhitzen, sofort servieren.

Butterpilze in Kerbelcreme zu Nudeln oder Spätzle, Gurkensalat servieren.

Butterpilze mit Rührei

400 g Butter-pilze	putzen, abspülen, abtropfen lassen, in dünne Scheiben schneiden
50 g durch-wachsenen Speck	in Würfel schneiden
1 Teel. Butter	zerlassen, die Speckwürfel darin ausbraten
1 kleine Zwiebel	abziehen, in Würfel schneiden, im Speckfett glasig dünsten lassen die Pilze hinzufügen, in etwa 10 Minuten gar dünsten lassen

für das Rührei

8 Eier	mit
5 Eßl. Sahne	verschlagen, mit
Salz	
Pfeffer	würzen
1 Eßl. feinge-schnittenen Schnittlauch	unterrühren
2 Eßl. Butter	in einer Pfanne zerlassen, die Eiermasse hineingeben, unter Rühren langsam stocken lassen die Rühreier auf einer Platte anrichten, die gedünsteten Pilze darüber geben.
Beigabe:	Toast, Grüner Salat.

Rouladen mit Pilzfüllung

Für die Füllung

500 g Butter-pilze	putzen, abspülen, abtropfen lassen, in feine Stücke schneiden
2 Schalotten	abziehen, fein würfeln
1 Teel. Butter	zerlassen, die Schalottenwürfel darin glasig dünsten lassen
50 g durch-wachsenen Speck	in kleine Würfel schneiden, hinzufügen, hellgelb dünsten lassen die Pilzstückchen dazugeben, etwa 10 Minuten dünsten lassen, mit
Salz schwarzem Pfeffer Kümmel	würzen
1 Eßl. gehackte Majoran-blättchen	
1 Eßl. gehackte Petersilie	unterrühren
4 Scheiben Rindfleisch (je etwa 150 g, aus der Keule)	mit Salz, Pfeffer bestreuen, die Pilzfüllung darauf verteilen, die Fleischscheiben aufrollen, mit Holzstäbchen oder Küchengarn zusammenhalten
4 Eßl. Speiseöl	in einem Schmortopf erhitzen, die Rouladen darin von allen Seiten gut anbraten
1 große Zwiebel	abziehen, in Achtel schneiden, zu

	dem Fleisch geben, mitbräunen lassen etwas von
500 ml (½ l) Fleischbrühe	hinzugießen, die Rouladen in etwa 1¾ Stunden gar schmoren lassen, von Zeit zu Zeit wenden, verdampfte Flüssigkeit nach und nach ersetzen
1 Eßl. Weizenmehl **5 – 6 Eßl. Sahne**	mit anrühren, den Bratensatz damit binden, die Soße mit Salz, Pfeffer abschmecken.
Beilage:	Kartoffelklöße oder Petersilienkartoffeln.

Waldpilzgemüse

(Abb. nebenstehend)

500 g Butterpilze **250 g Champignons** **250 g Pfifferlinge**	die Pilze putzen, abspülen, abtropfen lassen, große Pilze halbieren oder vierteln
1 große Zwiebel **100 g Speck**	abziehen, würfeln in Würfel schneiden, auslassen, die Zwiebelwürfel darin glasig dünsten lassen, die Pilze hinzufügen, in etwa 10 Minuten gar dünsten lassen, mit
Salz **Pfeffer** **2 – 3 Eßl. gehackter Petersilie**	würzen, mit bestreuen.

Waldpilzgemüse zu Kalbssteaks servieren.

Marone

Die Marone wächst vom Hochsommer bis in den November hinein am liebsten im Nadelwald und schätzt vor allem die Zeit der kühlen Nächte. Sie ist ein wichtiger, weil häufiger Speisepilz mit vielen Namen, was auf besondere Beliebtheit hinweist: Tannenpilz, Braunhäubchen, Schafschwamm, und — im Gegensatz zum Herrenpilz — Frauenschwamm.

Ihr Wert entspricht dem des Steinpilzes; sie wird auch genauso zubereitet, nur sollte sie keinesfalls roh gegessen werden, da sie dann unbekömmlich, ja giftig ist. Die Marone gehört zur Gattung der Filzröhrlinge, also solcher Röhrenpilze, deren Huthaut feinfilzig-samten ist. Bei Regen wird der Hut allerdings schleimig. Einige ihrer nahen Verwandten sind ebenfalls begehrte Speisepilze, wie die Ziegenlippe, deren festes gelbes Fleisch — solange der Pilz jung ist — gewiß nicht weniger appetitlich und aromatisch ist als das von Steinpilz oder Marone.

Rotbarschröllchen mit Maronen

4 Scheiben Rotbarschfilet (je etwa 150 g)	unter fließendem kaltem Wasser abspülen, trockentupfen, mit
Zitronensaft	beträufeln, etwa 15 Minuten stehenlassen, wieder trockentupfen, mit
Salz Pfeffer	bestreuen
	für die Füllung
250 g Maronen	putzen, abspülen, abtropfen lassen, in feine Scheiben schneiden
2 Schalotten	abziehen, fein würfeln
50 g durch- wachsenen Speck	in Würfel schneiden, auslassen
1 Eßl. Butter	hinzufügen, zerlassen, die Schalottenwürfel,
3 – 4 Eßl. gehackte Peter- silie	darin andünsten die Pilzscheiben hinzufügen, in etwa 10 Minuten gar dünsten lassen, mit
Salz Pfeffer	würzen die Fischfilets mit der Pilzmasse bestreichen, zusammenrollen, mit Küchengarn zusammenhalten
75 g Butter	zerlassen, die Fischröllchen darin etwa 3 Minuten von allen Seiten anbraten
125 ml (⅛ l) Weißwein	hinzugießen, die Rotbarsch- röllchen zugedeckt in 12 – 15 Minuten gar dünsten lassen, dabei ab und zu wenden die garen Fischröllchen auf einer vorgewärmten Platte anrichten, warm stellen nach Belieben
3 – 4 Eßl. Crème fraîche	unter die Dünstflüssigkeit rühren, erhitzen, evtl. mit Salz, Pfeffer abschmecken, zu den Rotbarschröllchen reichen.
Beilage:	Petersilienkartoffeln, Grüner Salat.

Hasenragout mit Maronen

2 Vorderläufe und 2 Hinterläufe (küchenfertig) von 1 jungen Hasen	waschen, abtrocknen, in kleine Portionsstücke hacken
50 g Pflanzen- fett	in einer schweren Pfanne erhitzen, die Fleischstücke darin braun braten
1 Zwiebel	abziehen, fein würfeln, zu dem Fleisch geben, etwas mitbräunen lassen
2 Knoblauch- zehen Salz 8 schwarzen Pfefferkörnern 1 Teel. gerebel- tem Thymian	abziehen, grob zerkleinern, mit in einem Mörser zerstoßen, mit

1 Lorbeerblatt	zu dem Hasenfleisch geben
1 Eßl. Weizen-mehl	darüber stäuben, unterrühren
250 ml (¼ l) trockenen Rot-wein	
250 ml (¼ l) Fleischbrühe	hinzugießen das Fleisch zugedeckt 1¼ – 1½ Stunden schmoren lassen
300 g Maronen	putzen, abspülen, abtropfen lassen, in dünne Scheiben schneiden 15 Minuten vor Beendigung der Garzeit die Pilze in das Ragout geben, mitschmoren lassen, nochmals mit Salz,
Pfeffer	würzen.
Beilage:	Spätzle.

Kräuterpilze mit Rührei

(Abb. nebenstehend)

500 g Maronen **250 g Champignons** **125 g Pfiffer-linge** **125 g Stein-pilze**	
	die Pilze putzen, abspülen, abtropfen lassen, kleine Pilze ganz lassen, große Pilze halbieren oder in Stücke schneiden

2 mittelgroße Zwiebeln	abziehen, fein würfeln
100 g durch-wachsenen Speck	in Würfel schneiden, auslassen
2 Eßl. Butter	hinzufügen, zerlassen, die Zwiebelwürfel darin glasig dünsten lassen die Pilze hinzufügen, mit
Salz **Pfeffer**	würzen, in etwa 20 Minuten gar dünsten lassen
1 – 2 Eßl. gehackte Petersilie	darüber streuen.
Beilage:	Rührei, Bauernbrot.

21

Crêpes mit Maronenfüllung

(Abb. nebenstehend)

Für die Crêpes

100 g Weizenmehl	
2 Eiern	
250 ml (¼ l) Milch	
Salz	nach und nach mit verschlagen

für die Füllung

750 g Maronen	putzen, abspülen, abtropfen lassen, in Scheiben schneiden
250 g Zwiebeln	abziehen, würfeln
50 g Butter	zerlassen, die Zwiebelwürfel darin glasig dünsten lassen, die Maronenscheiben hinzufügen, in etwa 15 Minuten gar dünsten lassen, mit
Salz, Pfeffer **2 Eßl. feingeschnittenen Schnittlauch** **2 Eßl. feingehackte Petersilie**	abschmecken
	unterrühren, abkühlen lassen
60 g Butter	in einem kleinen Topf zerlassen eine kleine Stielpfanne mit etwas von der Butter ausstreichen, eine dünne Teiglage hineingeben, von beiden Seiten goldgelb backen, das Crêpe warm stellen aus dem restlichen Teig 3 weitere Crêpes auf die gleiche Weise zubereiten die Füllung auf die Crêpes verteilen, die Crêpes aufrollen, nebeneinander in eine gefettete, flache feuerfeste Form legen
1½ Becher (225 g) Crème fraîche	verrühren, über die Crêperollen verteilen, die Form unter den vorgeheizten Grill setzen, die Crêpes in etwa 10 Minuten goldbraun grillen.

Poularde mit Maronen

1 küchenfertige Poularde (etwa 1¼ kg)	waschen, abtrocknen, in Portionsstücke schneiden, mit
Salz, Pfeffer 1 Teel. Curry- pulver	einreiben, in
Weizenmehl	wenden
6 Eßl. Speiseöl	erhitzen, die Poulardenstücke darin von allen Seiten anbraten
2 Schalotten	abziehen, fein würfeln, in dem Bratfett glasig dünsten lassen
1 Knoblauch- zehe	abziehen, durchpressen, mit
1 Eßl. gehack- ten Majoran- blättchen	zu dem Fleisch geben etwas von
375 ml (⅜ l) Hühnerbrühe	hinzugießen, zum Kochen bringen, das Fleisch schmoren lassen, von Zeit zu Zeit wenden, verdampfte Flüssigkeit nach und nach ersetzen
250 g Maronen	putzen, abspülen, abtropfen lassen, in Scheiben schneiden, nach etwa 25 Minuten Schmorzeit zu den Poulardenstücken geben, mit Salz würzen, etwa 15 Minuten mitschmoren lassen die garen Poulardenstücke heraus- nehmen, in einer vorgewärmten Schüssel anrichten, warm stellen den Bratensatz etwas einkochen lassen
1 Becher (150 g) Crème fraîche 1 Eßl. gehackte Petersilie	unterrühren, die Soße mit Salz, Pfeffer abschmecken, über die Poulardenstücke gießen.
Beilage:	Reis oder Risi pisi.

Steinpilz

Unter den vielen Schätzen des Waldes gibt es kaum etwas, das den Pilzsammler glücklicher macht als der Fund eines kapitalen Steinpilzes.

Von den vier Steinpilzarten ist der auch Herrenpilz genannte der meistgesuchte in mitteleuropäischen Wäldern. Er wächst von Ende Mai/Anfang Juni bis Anfang November in Laub-, Misch- und Nadelwäldern. Sein Hut ist von hellerem oder dunklerem Braun und kann die Rekordgröße von 25 cm Durchmesser erreichen. Größeres kulinarisches Vergnügen aber hat der Pilzgenießer an frischen jungen Exemplaren, deren Fleisch noch fest und kernig ist.

Der erste Steinpilz im Jahr ist der Kiefern- oder Rothütige Steinpilz, der eine schöne samtige bräunlich-weinrote Huthaut hat und schon ab Anfang Mai in Kiefernwäldern wächst.

Der Sommersteinpilz mit oft rissiger Huthaut (oder auch eingerissenem Rand) wächst ab Ende Mai bis Oktober unter Buchen, Eichen und Kastanien.

Der Schwarzhütige Steinpilz trägt einen dunkelbraunen bis schwarzbraunen Hut. Der Stiel ist lang, dick und massiv und fast immer von einem deutlichen rotbraunen Netzwerk überzogen. Der Pilz liebt warme Gegenden und wächst im Sommer und Herbst mit Vorliebe in Eichen- und Kastanienwäldern.

Allen Steinpilzen sind der angenehme Geschmack und das feine Aroma eigen; ihr Fleisch eignet sich für jede Zubereitung, noch dazu kann er völlig unbeschwert genossen werden, weil es keine Verwechslung mit giftigen Doppelgängern geben kann.

Steinpilzsalat mit Äpfeln und Tomaten

400 g junge Steinpilze	putzen, abspülen, die Stiele von den Hüten trennen, die Hüte in sehr dünne Scheiben schneiden (die Stiele für ein anderes Gericht verwenden)
1 Schalotte	abziehen, fein würfeln
1 Eßl. Speiseöl	erhitzen, die Schalottenwürfel darin glasig dünsten lassen, die Pilzscheiben hinzufügen, etwa 5 Minuten mitdünsten lassen, mit
Salz, Pfeffer	würzen
2 Fleischtomaten	waschen, abtrocknen, halbieren, die Stengelansätze entfernen, die Tomaten entkernen, das Tomatenfleisch in Würfel schneiden
2 säuerliche Äpfel	schälen, vierteln, entkernen, in dünne Streifen schneiden, mit
Zitronensaft	beträufeln
	für die Salatsoße
5 Eßl. Walnußöl	mit
2 Eßl. Sherryessig	
1 Teel. Zucker	
1 Teel. Dijon-Senf	
Salz, Pfeffer	verrühren
1 Teel. gehackte Kerbelblättchen	
1 Teel. feingeschnittenen Schnittlauch	unterrühren die Salatzutaten mit der Salatsoße vermengen.

Bayerische Schwammerlsoße

500 g Steinpilze	putzen, abspülen, abtropfen lassen, in dünne Scheiben schneiden
2 Bund Petersilie	abspülen, trockentupfen, fein hacken
1 große Zwiebel	abziehen, würfeln
30 g Schweineschmalz	erhitzen, die Zwiebelwürfel darin glasig dünsten lassen Steinpilzscheiben und gehackte Petersilie hinzufügen, so lange dünsten, bis die Flüssigkeit verdampft ist
35 g Weizenmehl	über die Pilze stäuben, unter Rühren etwas bräunen lassen
250 ml (¼ l) Fleischbrühe	hinzugießen, gut verrühren, die Soße zum Kochen bringen, etwa 10 Minuten kochen lassen, mit
Salz, Pfeffer	würzen
250 ml (¼ l) Sahne	unterrühren, erhitzen, sofort servieren.

Bayerische Schwammerlsoße zu Semmelknödeln servieren.

Geschnetzeltes mit Steinpilzen in Rieslingsoße

200 g junge, feste Steinpilze	putzen, abspülen, trockentupfen, in Scheiben schneiden
2 Schalotten	abziehen, fein würfeln
3 Eßl. Olivenöl	mit
1 Teel. Butter	erhitzen, die Zwiebelwürfel darin glasig dünsten lassen
400 g Kalbsfilet	evtl. abspülen, trockentupfen das Filet in dünne Streifen schneiden, zu den Zwiebeln geben, unter Rühren anbraten
1 Eßl. Weinbrand	unterrühren, die Steinpilzscheiben hinzufügen, durchdünsten lassen
250 ml (¼ l) Weißwein (Riesling)	hinzugießen, Filetstreifen und Pilze in etwa 15 Minuten gar schmoren lassen, mit
Salz schwarzem Pfeffer	würzen
½ Becher (75 g) Crème fraîche	unterrühren, erhitzen das Geschnetzelte mit
1 Teel. gehackten Estragonblättchen	bestreuen.
Beigabe:	Wilder Reis, Frisée-Salat.

Gegrillte Steinpilzhüte mit Basilikumbutter

Für die Basilikumbutter

80 g weiche Butter	mit
2 Eßl. gehackten Basilikumblättchen	
einigen Tropfen Zitronensaft	
Salz	
weißem Pfeffer	gut verkneten, 8 Kugeln daraus formen, in Alufolie einschlagen, im Gefrierfach des Kühlschranks fest werden lassen
8 große Steinpilzhüte	abspülen, trockentupfen, mit
Olivenöl	beträufeln den Grillrost ausfetten, die Pilze darauf legen, unter den heißen Grill schieben, von jeder Seite 3–5 Minuten grillen, mit
Salz schwarzem Pfeffer	würzen auf jeden Pilzhut eine Portion Basilikumbutter geben, sofort servieren.
Beigabe:	Stangenweißbrot.

Kräuteromeletts mit Pilzfüllung

(Abb. nebenstehend)

350 g Stein-pilze **150 g Pfiffer-linge**	die Pilze putzen, abspülen, abtropfen lassen, in Scheiben schneiden
2 Eßl. Butter	zerlassen, die Pilzscheiben in etwa 10 Minuten darin gar dünsten lassen, mit
Salz **Pfeffer**	würzen

für die Kräuteromeletts

12 Eier **2 – 3 Eßl. gehacktem Dill** **2 – 3 Eßl. gehackter Petersilie** **2 – 3 Eßl. fein-geschnittenem Schnittlauch** **2 – 3 Eßl. ge-hackten Basili-kumblättchen** **Salz**	mit
2 – 3 Eßl. Butter	verschlagen in kleine Würfel schneiden, darunter schlagen
Butter oder Margarine	in einer Pfanne zerlassen, ¼ der Eiermasse hineingeben, die Pfanne mit einem Deckel verschließen, die

Eiermasse bei schwacher Hitze in etwa 5 Minuten langsam gerinnen lassen, das Omelett heraus-nehmen, warm stellen
aus der restlichen Eiermasse 3 weitere Omeletts bereiten
die Steinpilze auf den Omeletts verteilen, die Omeletts zusammenklappen, sofort servieren.

Steinpilzsalat

400 g junge Steinpilze	putzen, abspülen, trockentupfen, in dünne Scheiben schneiden, in
250 ml (¼ l) kochendes Salzwasser	geben, zum Kochen bringen, etwa 1 Minute kochen lassen, auf ein Sieb geben, mit kaltem Wasser übergießen, gut abtropfen lassen

für die Salatsoße

5 Eßl. Trauben-kernöl oder Walnußöl **2 Eßl. Zitronen-saft** **1 Teel. Zucker** **Salz** **Pfeffer**	mit verrühren
1 Eßl. Pinien-kerne	unterrühren die Steinpilzscheiben mit der Salatsoße vermengen, mit
1 Eßl. gehack-ter Petersilie	bestreuen.

Karpfen mit Steinpilzsoße

1 großen oder 2 kleine küchenfertige Karpfen	unter fließendem kaltem Wasser abspülen, trockentupfen, in Portionsstücke schneiden, mit
Salz	bestreuen die Fischstücke in eine gefettete feuerfeste Form legen
200 g Steinpilze	putzen, abspülen, abtropfen lassen, in dünne Scheiben schneiden
3 Schalotten	abziehen, würfeln beide Zutaten zu den Fischstücken geben, mit
1 Eßl. gehackter Petersilie schwarzem Pfeffer	bestreuen
200 ml (⅕ l) trockenen Weißwein	hinzugießen die Form mit gefettetem Pergamentpapier abdecken, auf dem Rost in den vorgeheizten Backofen schieben
Strom:	200 – 225
Gas:	4 – 5
Garzeit:	40 – 45 Minuten die garen Fischstücke herausnehmen, in eine vorgewärmte Schüssel geben, warm stellen die Soße zum Kochen bringen
½ Becher (75 g) Crème fraîche 75 ml Sahne 1 Eßl. Weizenmehl	mit verrühren, in die Soße rühren, gut zum Kochen bringen, über die Fischstücke gießen, sofort servieren.
Beilage:	Petersilienkartoffeln, Tomatensalat.

Gefüllte Steinpilzhüte

4 große Steinpilze	putzen, abspülen, trockentupfen, die Hüte vorsichtig von den Stielen trennen, die Hüte quer halbieren, die Stiele in kleine Stücke schneiden
2 Schalotten 1 Knoblauchzehe	beide Zutaten abziehen, fein würfeln
2 Eßl. Butter	zerlassen, Zwiebel- und Knoblauchwürfel darin glasig dünsten lassen, die Pilzstückchen hinzufügen, etwa 5 Minuten dünsten lassen, mit
Salz Pfeffer	würzen
1 Teel. gehackte Pimpinelleblättchen	unterrühren die Pilzmasse auf die halbierten

Steinpilzhüte verteilen
eine große feuerfeste Form
ausfetten, die Steinpilzhüte
hineinsetzen, mit

80 g geriebe-
nem Parmesan-
Käse bestreuen
die Form auf dem Rost in den
vorgeheizten Backofen schieben,
die Steinpilze goldbraun überbacken lassen

Strom: Etwa 225
Gas: 4 – 5
Backzeit: 20 – 25 Minuten.

Beigabe: Holländische Soße mit gehackten
Estragonblättchen.

Steinpilz-Gratin

500 g Stein-
pilze putzen, abspülen, trockentupfen,
in Scheiben schneiden
2 Eßl. Butter zerlassen, die Pilze darin etwa
5 Minuten dünsten lassen

für die Soße
20 g Butter zerlassen
20 g Weizen-
mehl unter Rühren so lange darin
erhitzen, bis es hellgelb ist

125 ml (⅛ l)
trockenen
Weißwein
125 ml (⅛ l)
Fleischbrühe hinzugießen, mit einem
Schneebesen durchschlagen,
darauf achten, daß keine Klumpen

entstehen, die Soße zum Kochen
bringen, etwa 5 Minuten kochen
lassen, mit

Salz
Pfeffer würzen
2 Sardellen-
filets abspülen, trockentupfen
6 Kapern
beide Zutaten in kleine Stücke
schneiden
1 Schalotte abziehen, reiben, mit den
Sardellen- und Kapernstückchen
in die Soße geben, zum Kochen
bringen, etwa 5 Minuten kochen
lassen
die Steinpilzscheiben in eine
gefettete feuerfeste Form geben,
mit Salz, Pfeffer bestreuen, die
Soße darüber gießen

2 Eßl. geriebe-
nen Parmesan-
Käse mit
1 Eßl. zerbrök-
keltem Weiß-
brot vermischen, über die Soße streuen
2 Eßl. Butter in Flöckchen darauf setzen
die Form auf dem Rost in den
vorgeheizten Backofen schieben,
das Steinpilz-Gratin überbacken,
bis der Käse goldbraun ist

Strom: Etwa 225
Gas: 4 – 5
Backzeit: 20 – 25 Minuten.

Steinpilz-Gratin zu Hirsch- oder
Rehbraten servieren.

Rotkappen und Birkenpilze

Es gibt eine Reihe von Rotkappenarten, die nach ihrem jeweiligen Standort unter bestimmten Bäumen benannt sind, wie z. B. Birken-, Weiden- und Eichenrotkappe, insgesamt rund 10 einzelne Arten. Die Hutfarben können von Hellgelb über Orange bis dunkel Braunrot reichen. Alle haben einen schuppig-rauhen Stiel, wachsen von Juli bis Oktober und sind beliebte Speisepilze.

Ihr festes weißliches Fleisch verfärbt sich zuerst violett und wird später dunkel, fast schwarz. Das sollte bei der Zubereitung jedoch nicht stören; es hat mit der Qualität des Pilzes nichts zu tun, denn das Fleisch bleibt fest und kernig und ergibt eine delikate Mahlzeit. Die Pilzstücke können vor dem Garen kurz in Zitronenwasser getaucht werden, dann verfärben sich die Pilze nicht. Bei älteren Pilzen wären auch die Stiele recht ergiebig, sie sind aber allzu leicht strohig.

Dem ebenfalls rauhstieligen Birkenpilz hat der Volksmund liebevoll die verschiedensten Namen gegeben. So ist er auch bekannt als Kapuziner, Geißpilz, Pfaffenkopf, Hüterbub oder Grasmannl.

Auch wenn er nur in seiner Jugend ein wohlschmeckender Speisepilz ist, so freut sich doch jeder Pilzsammler, wenn er ihm im Sommer (Juli – Oktober) in einem lichten Birkenwäldchen gegenübersteht.

Es empfiehlt sich, Birkenpilze nur bei trockenem Wetter zu sammeln. Bei Regen können sie das Mehrfache ihres Gewichts an Wasser aufsaugen.

Im Schwamm sitzen fast immer Madennester, die oft übersehen werden, deshalb ist es besser, ihn immer wegzuschneiden, auch wenn der Pilz wurmfrei zu sein scheint.

Der Stiel ist meist holzig und wird ebenfalls entfernt. Zur rauhstieligen Verwandtschaft des Birkenpilzes zählen noch einige andere Arten, die alle eßbar sind und wegen ihres charakteristischen Stiels nicht verwechselt werden können.

Rotkappen in Kräuter-Rahm-Soße

500 g Rotkappen	putzen, abspülen, abtropfen lassen, in dünne Scheiben schneiden, mit
Zitronensaft	beträufeln
1 Schalotte	
1 Knoblauchzehe	
	beide Zutaten abziehen, fein würfeln
4 Eßl. Olivenöl	erhitzen, die Zwiebelwürfel darin glasig dünsten lassen die Knoblauchwürfel, die Pilzscheiben hinzufügen, in etwa 10 Minuten gar dünsten lassen, nach und nach
250 ml (¼ l) heiße Fleischbrühe	hinzugießen, mit
Salz, Pfeffer	würzen
200 ml (⅕ l) Sahne	mit
1 Eßl. Weizenmehl	verschlagen, unter die Pilze rühren, zum Kochen bringen
2 – 3 Eßl. gehackte Petersilie	
1 Eßl. gehackte Majoranblättchen	
1 Eßl. gehackte Estragonblättchen	die Kräuter unterrühren, die Rotkappen in Kräuter-Rahm-Soße sofort servieren.

Pilzauflauf mit Currysoße

500 g Rotkappen	putzen, abspülen, in dünne Scheiben schneiden
2 Eßl. Butter	zerlassen, die Pilze darin 10 – 15 Minuten dünsten lassen
etwa 5 Eßl. Fleischbrühe	hinzugießen, mit
Salz	
weißem Pfeffer	würzen
	für die Currysoße
20 g Butter	zerlassen
20 g Weizenmehl	so lange unter Rühren darin erhitzen, bis es hellgelb ist
250 ml (¼ l) Milch	hinzugießen, mit einem Schneebesen durchschlagen, darauf achten, daß keine Klumpen entstehen, die Soße zum Kochen bringen, etwa 5 Minuten kochen lassen, mit
Salz	
1 Teel. Currypulver	würzen
1 Eigelb	mit
2 Eßl. Sahne	verschlagen, die Soße damit legieren die gedünsteten Pilze in eine feuerfeste Form geben, mit der Currysoße übergießen
2 Eßl. geriebenen Parmesan-Käse	darüber streuen, die Form auf dem Rost in den vorgeheizten Backofen

schieben, den Pilzauflauf überbacken lassen

Strom:	Etwa 200
Gas:	Etwa 4
Überbackzeit:	15 – 20 Minuten.

Tomatenpilze, kalt serviert

500 g Rot-kappen	putzen, abspülen, abtropfen lassen, in dünne Scheiben schneiden, mit
Zitronensaft	beträufeln
2 Schalotten	
1 Knoblauch-zehe	
	beide Zutaten abziehen, fein würfeln
5 Eßl. Olivenöl	erhitzen, Zwiebel- und Knoblauchwürfel darin glasig dünsten lassen
1 Eßl. Tomaten-mark	unterrühren die Pilze,
1 kleines Lorbeerblatt	hinzufügen, die Pilze in 10 – 12 Minuten gar dünsten lassen, mit
Salz	
schwarzem Pfeffer	würzen
½ Teel. Zucker	
1 Eßl. Zitronen-saft	unterrühren das Lorbeerblatt entfernen, die Pilze erkalten lassen.
Beigabe:	Warmes Stangenweißbrot.

Gefüllte Rotkappen

500 g junge Rotkappen	putzen, abspülen, abtropfen lassen, die Stiele abtrennen, fein hacken die Pilzhüte beiseite legen
3 Eßl. Butter	zerlassen, die gehackten Pilzstiele darin etwa 10 Minuten dünsten lassen
2 Brötchen	in
Milch	einweichen, gut ausdrücken, mit der Pilzmasse,
200 g gehack-tem Kalbfleisch	
2 Eigelb	gut verkneten, mit
Salz	
schwarzem Pfeffer	würzen die Masse in die Pilzhüte füllen eine feuerfeste Form ausfetten, die Pilzhüte hineinsetzen
125 ml (⅛ l) Sahne	darüber gießen, mit
2 Eßl. zerbrök-keltem Weiß-brot	bestreuen
Butter	in Flöckchen darauf setzen die Form auf dem Rost in den vorgeheizten Backofen schieben
Strom:	200 – 225
Gas:	4 – 5
Garzeit:	Etwa 30 Minuten.
Beigabe:	Frisée-Salat.

Rotkappengemüse mit Kräutern

(Abb. nebenstehend)

300 g Rotkappen oder Birkenpilze **150 g Pfifferlinge** **150 g Champignons**	die Pilze putzen, abspülen, abtropfen lassen, große Pilze halbieren oder vierteln
1 Zwiebel **2 Eßl. Butter**	abziehen, fein würfeln zerlassen, die Zwiebelwürfel darin glasig dünsten lassen, die Pilze hinzufügen, etwa 10 Minuten braten lassen, mit
Salz **Pfeffer**	würzen
2 – 3 Eßl. gehackte Petersilie **2 – 3 Eßl. feingeschnittenen Schnittlauch** **2 – 3 Eßl. Kresseblättchen**	über die Pilze streuen, sofort servieren.
Beilage:	Stangenweißbrot, Kräuterbutter oder Bratkartoffeln.

36

Pilzcremesuppe Vichy

250 g Birken-pilze	putzen, abspülen, abtropfen lassen, in Scheiben schneiden, mit
Zitronensaft	beträufeln
2 Schalotten	abziehen, würfeln
2 Eßl. Butter	zerlassen, die Zwiebelwürfel darin glasig dünsten, die Pilzscheiben hinzufügen, mitdünsten lassen
2 mittelgroße Kartoffeln	schälen, waschen, in Scheiben schneiden, zu den Pilzen geben, etwas andünsten
1 l Hühner-brühe	hinzugießen, zum Kochen bringen, Pilze und Kartoffeln in etwa 20 Minuten gar kochen lassen die Suppe pürieren, wieder zum Kochen bringen
2 Eigelb	mit
125 ml (⅛ l) Sahne	verschlagen, die Suppe damit legieren, mit
Salz Tabasco	würzen, mit
1 Eßl. ge-hackten Kerbel-blättchen	bestreuen, sofort servieren.
Veränderung:	In Butter geröstete Weißbrotwürfel über die Suppe geben.

Hallimasch und Stockschwämmchen

An seiner Ernte freuen sich zwei: der Pilzsammler und der Förster. Er gilt nämlich als zu fürchtender Schädling, der nicht nur auf totem Holz wächst, sondern auch gesunde Stämme befällt. Sicher ist richtiger, daß er nur anzeigt, daß scheinbar noch gesunde Stämme bereits erkrankt sind.

Der Hallimasch zählt nicht gerade zu den edlen Speisepilzen – von der Liste der im Handel zugelassenen Pilze wurde er übrigens gestrichen – doch wird er von vielen als herbstliche Mahlzeit geschätzt, vielleicht vor allem, weil sich der Pilzsammler mit dem Suchen nicht allzulange aufhalten muß. Der Hallimasch wächst in dichten Gruppen, oft in mehreren hundert Stück, und fast nie an nur einer kleinen Stelle, sondern meist über große Flächen an jedem Stumpf oder anderem geeigneten Holz.

Gesammelt werden jedoch nur kleinere, trockene und feste Exemplare. Große Hüte sind meist naß – vor allem, wenn der Pilz im Gras wächst – und oft wurmig. Haben die Pilze einen weißlichen Belag, so ist dies im allgemeinen Sporenstaub von den in den Gruppen weiter oben wachsenden Pilzen. Er ist abwaschbar und ungefährlich.

Hallimaschgerichte sind nicht jedermanns Sache. Auf jeden Fall sollte jeder, der diesen Pilz zum ersten Mal ißt, mit einer kleinen Portion die persönliche Verträglichkeit testen.

Roh ist der Hallimasch giftig. Er sollte mindestens 20 Minuten gegart werden, noch besser ist es, den Hallimasch vor dem Garen in Salzwasser einmal aufkochen zu lassen.

Vom Pilz werden üblicherweise nur die Hüte verwendet, es sei denn, es handelt sich um ganz junge Pilze mit dicken, fleischigen Stielen. Meist färben sich Hallimaschgerichte ziemlich dunkel.

Der Pilz verträgt starkes Würzen, auch Knoblauch und Zwiebel. Als Essigpilz und getrocknet genießt er schon seit dem Mittelalter hohes Ansehen.

Gemischt kann er eigentlich mit allen Speisepilzen werden, am besten schmeckt er zusammen mit Stockschwämmchen oder Rauchgrauen Schwefelköpfen.

Wer die richtigen Laubholzstümpfe kennt, kann dort meist jahrelang von Mai bis November massenhaft Stockschwämmchen ernten.

Diese vorzüglichen und bekömmlichen Speisepilze sind vor allem für Suppen und Soßen beliebt; die schuppigen, fast immer holzigen Stiele sind wegzuschneiden. Alle Hallimaschrezepte können auch mit Stockschwämmchen bereitet werden.

Pilzhackbraten

(Etwa 2 Portionen)

250 g Halli-masch kochendes Salzwasser	putzen, abspülen, in geben, einmal aufkochen lassen, auf ein Sieb geben, mit kaltem Wasser übergießen, abtropfen lassen, die Pilze fein hacken
1 Brötchen Milch	in einweichen, gut ausdrücken
½ Zwiebel 1 Knoblauch-zehe	beide Zutaten abziehen, fein würfeln, mit dem gut ausgedrückten Brötchen, den feingehackten Pilzen,
250 g Gehack-tem (halb Rind-, halb Schweine-fleisch) 1 Eigelb Salz Pfeffer	gut verkneten, mit würzen, die Masse zu einem länglichen Kloß formen
50 g Margarine	erhitzen, den Hackbraten darin von allen Seiten braun braten lassen etwas von
250 ml (¼ l) Fleischbrühe	hinzugießen, das Fleisch ab und zu mit dem Bratensatz begießen, verdampfte Flüssigkeit nach und nach ersetzen, den Pilzhackbraten in etwa 30 Minuten gar schmoren lassen die Schmorflüssigkeit evtl. mit

angerührtem Weizenmehl binden, die Soße zu dem Hackbraten reichen.

Beilage: Salzkartoffeln, Gurkensalat.

Hallimasch-Kartoffelsuppe

400 g Halli-masch kochendes Salz-wasser	putzen, abspülen, in geben, einmal aufkochen lassen, auf ein Sieb geben, mit kaltem Wasser übergießen, abtropfen lassen
1 mittelgroße Zwiebel 1 Stange Porree	abziehen, fein würfeln putzen, das dunkle Grün bis auf etwa 10 cm entfernen, den Porree in etwa 1 cm dicke Ringe schneiden, gründlich waschen
100 g durch-wachsenen Speck	in Würfel schneiden, auslassen, Zwiebelwürfel und Porreeringe darin andünsten, die Pilze hinzufügen, mitdünsten lassen
400 g Kartoffeln	schälen, waschen, in dünne Scheiben schneiden, zu den Pilzen geben
1½ l heiße Fleischbrühe 1 Teel. Kümmel	hinzugießen, zum Kochen bringen hinzufügen, die Suppe in etwa 20 Minuten gar kochen lassen, mit
Salz 1 Eßl. gehackte Petersilie	abschmecken darüber streuen.

Hammelkeule mit Hallimasch

Etwa 1 kg Hammelkeule	waschen, abtrocknen, enthäuten, evtl. Fett entfernen
3 – 4 Knoblauchzehen	abziehen, in Stifte schneiden das Hammelfleisch an einigen Stellen etwas einschneiden, die Knoblauchstifte hineindrücken das Fleisch mit
Salz schwarzem Pfeffer	würzen
3 – 4 Eßl. Margarine	in einem Schmortopf erhitzen, das Fleisch von allen Seiten darin anbraten, herausnehmen
1 kleine Zwiebel	abziehen, fein würfeln
1 Bund Suppengrün	putzen, waschen, in Streifen schneiden, mit den Zwiebelwürfeln in das Bratfett geben, andünsten
1 Eßl. Weizenmehl	darüber stäuben, unter Rühren hellgelb werden lassen
250 ml (¼ l) Rotwein	
250 ml (¼ l) Fleischbrühe	hinzugießen, gut verrühren, zum Kochen bringen
1 Lorbeerblatt 5 schwarze Pfefferkörner 1 Teel. Tomatenmark	hinzufügen
½ Teel. Zucker	unterrühren

das Fleisch hinzufügen
den Schmortopf auf dem Rost in den vorgeheizten Backofen schieben, zugedeckt schmoren lassen

500 g Hallimasch kochendes Salzwasser	putzen, abspülen, in geben, einmal aufkochen lassen, auf ein Sieb geben, mit kaltem Wasser übergießen, abtropfen lassen etwa 30 Minuten vor Beendigung der Schmorzeit die Pilze zu dem Fleisch geben, mitschmoren lassen
Strom:	200 – 225
Gas:	4 – 5
Schmorzeit:	Etwa 2 Stunden.
Beilage:	Kartoffelklöße.

Hallimasch-Gemüse

(2 Portionen)

250 g Hallimasch **kochendes Salzwasser**	putzen, abspülen, in
	geben, einmal aufkochen lassen, auf ein Sieb geben, mit kaltem Wasser übergießen, abtropfen lassen von
200 g Zucchini	die Enden abschneiden, die Zucchini waschen, in etwa 1 cm dicke Scheiben schneiden
1 große Gemüsezwiebel	abziehen, fein würfeln
3 Eßl. Olivenöl	erhitzen, die Zwiebelwürfel darin glasig dünsten lassen
1 Knoblauchzehe	abziehen, fein würfeln, mit den Pilzen, den Zucchinischeiben hinzufügen, zugedeckt etwa 15 Minuten dünsten lassen
2 große Tomaten	waschen, abtrocknen, halbieren, entkernen, die Stengelansätze entfernen, das Tomatenfleisch in Würfel schneiden, zu dem Gemüse geben, mit
Salz **Pfeffer**	würzen, noch etwa 5 Minuten dünsten lassen, mit
gehackten Basilikumblättchen	bestreuen, sofort servieren.
Beilage:	Schweinekoteletts, Reis.

Hallimasch-Imbiß

(Abb. nebenstehend)

500 g Hallimasch **kochendes Salzwasser**	putzen, abspülen, in
	geben, einmal aufkochen lassen, auf ein Sieb geben, mit kaltem Wasser übergießen, abtropfen lassen
50 g durchwachsenen Speck	in Würfel schneiden, auslassen, die Pilze hinzufügen, durchdünsten lassen
1 Zwiebel **1 Knoblauchzehe**	beide Zutaten abziehen, würfeln, zu den Pilzen geben die Pilze mit
Salz **Pfeffer** **1 Teel. Paprika edelsüß**	würzen unterrühren, die Pilze etwa 10 Minuten dünsten lassen
½ Teel. gehackte Majoranblättchen	unterrühren, die Pilze nochmals etwa 10 Minuten dünsten lassen, bis die Flüssigkeit verdampft ist
4 Scheiben Bauernbrot **Butter**	mit bestreichen, die Hallimasch darauf verteilen.

Rehragout mit Hallimasch

500 g Reh-fleisch	waschen, abtrocknen, enthäuten, in gleich große Würfel schneiden
3 – 4 Eßl. Schweine-schmalz	erhitzen, das Fleisch darin unter Wenden anbraten, mit
Salz schwarzem Pfeffer	würzen
1 Zwiebel	abziehen, fein würfeln, hinzufügen, mitbräunen lassen
1 Teel. gehack-te Thymian-blättchen	
1 Teel. gehack-te Majoran-blättchen	unterrühren
1 Eßl. Weizen-mehl	über das Fleisch stäuben, unter Rühren hellgelb dünsten lassen
500 ml (½ l) Fleischbrühe	hinzugießen, gut verrühren, das Rehfleisch zugedeckt etwa 45 Minuten schmoren lassen
300 g Halli-masch kochendes Salzwasser	putzen, abspülen, in

geben, einmal aufkochen lassen, auf ein Sieb geben, mit kaltem Wasser übergießen, abtropfen lassen, zu dem Fleisch geben, etwa 25 Minuten mitschmoren lassen |
| **1 Eßl. Speise-stärke** | mit |

2 – 3 Eßl. Rot-wein	anrühren, die Soße damit binden, evtl. mit Salz, Pfeffer abschmecken.
Beilage:	Kartoffelklöße oder Spätzle.

Hallimasch-Gulasch

500 g Halli-masch kochendes Salzwasser	putzen, abspülen, in

geben, einmal aufkochen lassen, auf ein Sieb geben, mit kaltem Wasser übergießen, abtropfen lassen |
2 große Zwiebeln	abziehen, fein würfeln
2 Eßl. Butter oder Margarine	zerlassen, die Zwiebelwürfel darin glasig dünsten lassen
1 Eßl. Paprika edelsüß	darüber stäuben, mit
1 Eßl. Wasser	unter die Zwiebelwürfel rühren die Hallimasch hinzufügen, nach und nach
250 ml (¼ l) heiße Fleisch-brühe	hinzugießen, zum Kochen bringen, die Pilze in etwa 25 Minuten gar dünsten lassen, mit
Salz Pfeffer	abschmecken
1 Eßl. Weizen-mehl	mit
1½ Becher (225 g) Crème fraîche	verrühren, unter das Hallimasch-Gulasch rühren, erhitzen.
Beilage:	Spätzle, Grüner Salat.

Stockschwämm- chensuppe mit Champignons

(Abb. nebenstehend)

250 g Stock- schwämmchen	putzen, abspülen, abtropfen lassen
250 g Champignons	putzen, abspülen, abtropfen lassen, in Scheiben schneiden
2 kleine Zwiebeln	abziehen, fein würfeln
2 Eßl. Butter	zerlassen, die Zwiebelwürfel darin glasig dünsten lassen die Stockschwämmchen und die Champignonscheiben hinzufügen, etwa 5 Minuten mitdünsten lassen, mit
Salz Pfeffer Currypulver	würzen
1 Eßl. Weizen- mehl	darüber stäuben, unter Rühren etwas bräunen lassen
1 l heiße Fleischbrühe	hinzugießen, gut verrühren, zum Kochen bringen, etwa 30 Minuten kochen lassen die Suppe mit
Zitronensaft	abschmecken
2 Eßl. gehackte Petersilie	darüber streuen.

Ratatouille mit Stockschwämmchen

200 g Stockschwämmchenhüte	abspülen, abtropfen lassen, halbieren
	von
200 g kleinen Zucchini	die Enden abschneiden, die Zucchini waschen, in etwa 1 cm dicke Scheiben schneiden
2 große Fleischtomaten	waschen, abtrocknen, halbieren, die Stengelansätze entfernen, das Tomatenfleisch in Würfel schneiden
1 große Zwiebel 4 Eßl. Olivenöl	abziehen, in Scheiben schneiden erhitzen, die Zwiebelscheiben darin glasig dünsten lassen
1 Knoblauchzehe	abziehen, fein würfeln, mit den halbierten Pilzhüten, den Zucchinischeiben zu den Zwiebelscheiben geben, 10 – 15 Minuten dünsten lassen, bis die Flüssigkeit verdampft ist die Tomatenwürfel unterrühren, das Gemüse noch etwa 5 Minuten dünsten lassen, mit
Salz schwarzem Pfeffer	würzen
1 Eßl. gehackte Petersilie	unterrühren.

Ratatouille mit Stockschwämmchen zu Lammbraten und Reis servieren.

Möhren-Pilz-Gemüse

500 g junge Möhren	putzen, schrappen, waschen, in dünne Stifte schneiden, in
wenig kochendes Salzwasser	geben, zum Kochen bringen, etwa 12 Minuten kochen, abtropfen lassen
250 g Stockschwämmchen	abspülen, abtropfen lassen, halbieren
3 – 4 Eßl. Butter	zerlassen, die Pilze darin etwa 15 Minuten dünsten lassen, bis die Flüssigkeit verdampft ist die Möhrenstifte hinzufügen, das Gemüse mit
Salz geriebener Muskatnuß	würzen
3 Eßl. Sahne	mit
2 Eßl. gehackter Petersilie	verrühren, unter das Gemüse rühren, kurz erhitzen, sofort servieren.

Stockschwämm-chensuppe, thüringisch

500 g Stock-schwämmchen-hüte	abspülen, abtropfen lassen
2 Eßl. Butter oder Margarine	zerlassen, die Pilze darin andünsten
1 Eßl. gemisch-te, gehackte Kräuter (Peter-silie, Kerbel, Pimpinelle, evtl. Lieb-stöckel)	unterrühren
750 ml (¾ l) Fleischbrühe	hinzugießen, zum Kochen bringen, die Suppe etwa 20 Minuten kochen lassen, mit
Salz Pfeffer	abschmecken
1 große Kartoffel	schälen, waschen, reiben, in die Pilzsuppe geben die Suppe zum Kochen bringen, weitere 5 Minuten kochen lassen
50 g durch-wachsenen Speck	in Würfel schneiden, auslassen, über die gare Pilzsuppe geben.
Veränderung:	Statt geriebener Kartoffel gekochten Reis oder gekochte Graupen in die Suppe geben, dann die Suppe nur noch erhitzen.

Stockschwämm-chen mit Speckwürfeln

500 g Stock-schwämmchen-hüte	abspülen, abtropfen lassen, halbieren
75 g durch-wachsenen Speck	in kleine Würfel schneiden, auslassen, die Speckgrieben aus dem Fett nehmen, warm stellen
2 Zwiebeln	abziehen, in dünne Scheiben schneiden, in dem Speckfett goldbraun braten die Pilze hinzufügen, etwa 15 Minuten dünsten lassen, bis die Flüssigkeit verdampft ist, mit
Salz schwarzem Pfeffer	würzen
1 Teel. gehack-te Majoranblätt-chen	unterrühren die Speckgrieben über die Pilze geben, sofort servieren.
Beigabe:	Bauernbrot oder Bratkartoffeln.

Maipilz

An Waldrändern, Waldstraßen und Schneisen, in Park-
anlagen unter Gebüsch, auf Bergwiesen und Heiden findet sich oft massenhaft in Kreisen, Ringen oder Reihen,
der begehrte Maipilz, der sozusagen die Pilzsammelsai-
son am 21. April, den Georgitag (Name: Georgipilz)
eröffnet.

Leider gehört er zu den weißen oder weißlichen Lamel-
lenpilzen, die nur dem erfahrenen Sammler vorbehal-
ten sind, denn zu leicht werden gerade diese mit giftigen Pilzen verwechselt, wie z. B. der Maipilz mit dem
stark giftigen Mairißpilz, der zur gleichen Zeit an eben
den gleichen Stellen wächst.

Wer ihn kennt, weiß auch seine Qualitäten zu schätzen.
Er ist dickfleischig, saftig, ergiebig, nur selten verwurmt und gilt daher in der französischen Küche als einer der Besten. Der Geruch nach frischen Gurken und
Mehl vergeht bei der Zubereitung.

Der Maipilz wird mit dem Stiel am besten in feine Scheiben geschnitten, er gart etwa 20 Minuten und länger
und sollte möglichst immer mit frischen Kräutern und
süßer oder saurer Sahne/Créme fraîche zubereitet werden.

Kabeljaufilet mit Maipilzsoße

800 g Kabeljau-filet	unter fließendem kaltem Wasser abspülen, trockentupfen, in 4 gleich große Stücke schneiden, mit
Zitronensaft	beträufeln, etwa 15 Minuten stehenlassen, wieder trockentupfen, mit
Salz, Pfeffer	würzen
50 g Margarine	zerlassen, die Fischscheiben auf jeder Seite etwa 5 Minuten darin braten lassen
300 g Maipilze	putzen, abspülen, abtropfen lassen, in dünne Scheiben schneiden
2 Eßl. Butter	zerlassen, die Pilze darin etwa 8 Minuten dünsten, mit Salz, Pfeffer würzen
1 Knoblauch-zehe	abziehen, durchpressen, zu den Pilzen geben
125 ml (⅛ l) Sahne	unterrühren, erhitzen eine flache feuerfeste Form ausfetten, die Fischscheiben hineingeben, die Pilzsoße darüber gießen, mit
60 g geriebe-nem Parmesan-Käse	bestreuen die Form auf dem Rost in den vorgeheizten Backofen schieben, den Auflauf goldgelb überbacken lassen
Strom:	Etwa 200, Gas: 3 – 4
Backzeit:	15 – 20 Minuten.

Maipilz-Tomaten-Gratin

400 g Maipilze	putzen, abspülen, abtropfen lassen, in dünne Scheiben schneiden
2 Schalotten oder 1 kleine Zwiebel	abziehen, fein würfeln
2 Eßl. Butter oder Margarine	erhitzen, die Zwiebelwürfel darin glasig dünsten, die Pilze hinzufügen, etwa 15 Minuten dünsten lassen, mit
Salz Pfeffer	würzen
1 Teel. gehack-te Thymian-blättchen	unterrühren
2 Fleisch-tomaten	waschen, die Stengelansätze entfernen, die Tomaten in Scheiben schneiden eine flache feuerfeste Form ausfetten, die Maipilzscheiben hineingeben, mit den Tomatenscheiben bedecken, mit
50 g geriebe-nem Parmesan-Käse	bestreuen die Form auf dem Rost in den vorgeheizten Backofen schieben, das Gratin überbacken lassen
Strom:	200 – 225
Gas:	4 – 5
Backzeit:	Ewa 25 Minuten.

Makkaroni mit Pilzsoße

400 g Maipilze	putzen, abspülen, abtropfen lassen, in dünne Scheiben schneiden
1 kleine Zwiebel	abziehen, fein würfeln
2 Eßl. Butter oder Margarine	zerlassen, die Zwiebelwürfel darin glasig dünsten lassen
250 g Tatar	zu den Zwiebelwürfeln geben, unter Rühren anbraten, dabei die Fleischklümpchen etwas zerdrücken
2 Knoblauch-zehen	abziehen, fein würfeln, mit den Pilzen hinzufügen, mitschmoren lassen
5 Eßl. Fleisch-brühe	hinzugießen, die Fleisch-Pilz-Masse in etwa 15 Minuten gar schmoren lassen, mit
Salz, Pfeffer	würzen
5 Eßl. Sahne	unterrühren
400 g Makkaroni	in fingerlange Stücke brechen, in
knapp 3 l kochendes Salzwasser	geben, zum Kochen bringen, ab und zu umrühren, in 15–20 Minuten gar kochen, abtropfen lassen, in eine vorgewärmte Schüssel geben, die Pilzsoße darüber gießen, mit
80 g geriebe-nem Parmesan-Käse	bestreuen.
Beigabe:	Tomatensalat.

Pastetchen mit Maipilzfüllung

500 g Maipilze	putzen, abspülen, abtropfen lassen, in dünne Scheiben schneiden
3 Eßl. Butter	zerlassen, die Pilze darin andünsten
1 Eßl. Weizen-mehl	darüber stäuben, unterrühren
125 ml (⅛ l) Fleischbrühe	hinzugießen, gut verrühren, die Pilze in etwa 20 Minuten gar dünsten lassen, mit
Salz geriebener Muskatnuß	würzen
1 Eigelb	mit
125 ml (⅛ l) Sahne	verschlagen, unter die Pilze rühren, erhitzen von
4 Blätterteig-pastetchen (fertig gekauft)	Hülsen und Deckel auf ein Backblech legen, im vorgeheizten Backofen aufwärmen
Strom:	200–225
Gas:	3–4
Zeit zum Auf-wärmen:	Etwa 5 Minuten die Pilzfüllung in die Pastetchen geben, mit
gehackter Petersilie	bestreuen, sofort servieren.
Beigabe:	Toast, Butter.

Perlpilz

Der Perlpilz ist im Flachland und Gebirge einer der häufigsten Speisepilze. Er erscheint schon im Juni in Laub- und Nadelwäldern und ist bis Ende Oktober, Anfang November zu finden.

Er gehört zu den Wulstlingen oder Knollenblätterpilzen, der für jeden Sammler wegen ihrer bekannten Giftpilze (Grüner und Weißer Knollenblätterpilz, Panther- und Fliegenpilz) wichtigen Gattung.

Der Perlpilz sollte nur von wirklichen Pilzkennern gesammelt werden. Sein wichtigstes Unterscheidungsmerkmal gegenüber anderen Wulstlingen ist die Rotfärbung des Fleisches, vor allem im Anschnitt. Er wird deshalb auch Rötender Wulstling genannt.

Der Perlpilz gilt als guter Speisepilz und wird vor allem in Bayern und Tirol viel gesammelt. Sein zartes, süßliches Fleisch, das roh übrigens giftig ist, verdirbt ziemlich schnell. Perlpilze sollen deshalb am Sammeltag verbraucht, ausreichend gegart und nicht aufgewärmt oder eingefroren werden.

Leider sind sie oft verwurmt, und das schon im ganz jungen Zustand.

Die Huthaut wird abgezogen (deshalb heißt er auch Schälpilz). Hut und Stiel sind von gleichem Wohlgeschmack.

Perlpilze in Blätterteigtaschen

(Abb. nebenstehend)

Für den Teig
die drei Teigplatten aus

1 Packung (300 g) tiefgekühltem Blätterteig nebeneinanderlegen, auftauen lassen

für die Füllung

400 g Perlpilze putzen, abspülen, gut abtropfen lassen, fein hacken

2 Schalotten abziehen, fein würfeln

2 Eßl. Butter zerlassen, die Schalottenwürfel darin glasig dünsten lassen, die gehackten Pilze hinzufügen, in etwa 15 Minuten gar dünsten lassen, bis die Flüssigkeit verdampft ist

1 Becher (150 g) Crème fraîche unterrühren, mit

Salz
Pfeffer
2 Eßl. gehackten Thymianblättchen würzen
die Blätterteigplatten ausrollen, in etwa 10 cm große Quadrate schneiden
jeweils 1 Teel. der Pilzmasse auf die Teigquadrate geben

1 Eiweiß verschlagen, die Teigränder damit bestreichen

die Quadrate zu einem Dreieck zusammenklappen, die Ränder gut andrücken

1 Eigelb verschlagen, die Blätterteigtaschen damit bestreichen
ein Backblech kalt ausspülen, die Teigtaschen darauf geben, das Backblech auf dem Rost in den vorgeheizten Backofen schieben, die Blätterteigtaschen goldbraun backen

Strom: 200 – 225
Gas: 3 – 4
Backzeit: 12 – 15 Minuten.

Beigabe: Gemischter Salat.

Züricher Perlpilzcreme

2 Eßl. Butter	zerlassen
50 g durch-wachsenen Speck	in feine Würfel schneiden, in der Butter ausbraten
1 Schalotte	abziehen, fein würfeln, in dem Speckfett glasig dünsten lassen
1 Eßl. Weizen-mehl	darüber stäuben, unter Rühren hellgelb werden lassen
1 ⅛ l Hühner-brühe	hinzugießen, gut verrühren, zum Kochen bringen
250 g Perlpilze	putzen, die Huthaut abziehen, die Pilze abspülen, abtropfen lassen, in Scheiben schneiden, in die kochende Brühe geben, zum Kochen bringen, in etwa 30 Minuten gar kochen lassen, mit
Salz geriebener Muskatnuß	würzen
1 Eigelb 3 Eßl. Sahne 1 Eßl. gehack-ten Kerbel-blättchen	verrühren, die Suppe damit legieren
1 Eßl. Butter	in eine Schüssel geben, die heiße Suppe darüber gießen.
Beigabe:	In Kräuterbutter geröstete Weißbrotscheiben.

Perlpilze Székler Art

2 rote Zwiebeln	abziehen, fein würfeln
50 g Schweine-schmalz	erhitzen, die Zwiebelwürfel darin glasig dünsten lassen
1 Teel. Paprika edelsüß 1 Eßl. Wasser	unter die Zwiebelwürfel rühren
400 g junge Perlpilzhüte	putzen, die Huthaut abziehen, die Pilzhüte abspülen, abtropfen lassen, in Scheiben schneiden, zu den Zwiebelwürfeln geben, in etwa 15 Minuten gar dünsten lassen, mit
Salz	würzen, warm stellen
2 – 3 junge Möhren (etwa 150 g) 2 – 3 Peter-silienwurzeln (etwa 150 g)	beide Zutaten putzen, schrappen, waschen, in Scheiben schneiden, in
wenig kochen-des Salzwasser	geben, zum Kochen bringen, in etwa 10 Minuten gar kochen, abtropfen lassen, pürieren, mit
½ Becher (75 g) Crème fraîche	verrühren, zu den Pilzen geben.

Champignons, Egerlinge

Wiesenchampignons und ihre Verwandten gehören zu den klassischen Speisepilzen, die schon in der Antike geschätzt wurden.

Es gibt ungefähr 50 verschiedene Champignonarten, von denen die meisten ausgezeichnete Speisepilze sind. Weniger erfahrene Sammler müssen auf wildwachsende Champignons verzichten, weil sie verhältnismäßig leicht mit den tödlich giftigen Knollenblätterpilzen zu verwechseln sind.

Vollkommenen und bedenkenlosen Genuß bieten dagegen Kulturchampignons und Braune Egerlinge, die dem Sammler das ganze Jahr über in gleichbleibender Qualität zur Verfügung stehen. Sie werden frisch und appetitlich auf Märkten, in Lebensmittelgeschäften und im Obst- und Gemüsehandel angeboten.

Angebaut werden Kulturchampignons in großen Hallen auf natürlichem Nährboden, der ohne chemische Zusätze ausschließlich organische Bestandteile enthält und angenehm wie frisches Moos riecht. Aufgrund dieses Anbauverfahrens sind sie frei von giftigen Schadstoffen, wie Cadmium, Blei oder Quecksilber.

Es gibt braune, blonde und weiße Champignonarten. Vor allem die braunen Pilze aus Kulturanbau sind mindestens genauso aromatisch wie die wildwachsenden Champignons, haben aber kernigeres Fleisch und sind sogar für den Rohgenuß geeignet. Als Faustregel gilt: Je brauner und größer die Pilze, desto schmackhafter! Die Zubereitung ist einfach. Champignons werden kaum geputzt – sie haben deshalb keinen Gewichtsverlust – und werden nur kurz unter fließendem Wasser abgespült. Kleine Pilze bleiben ganz, die großen werden in Scheiben geschnitten. Gar sind Champignons schon nach wenigen Minuten, je nach Größe.

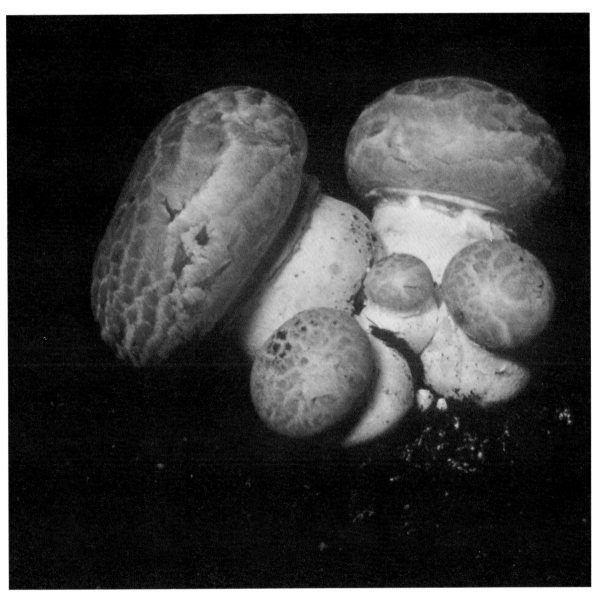

Überraschungs-champignons

500 g große Champignons	putzen, abspülen, trockentupfen, die Hüte von den Stielen abtrennen, die Hüte beiseite legen, die Stiele fein hacken
200 g Geflügel-leber	abspülen, trockentupfen, in kleine Stücke schneiden
2 kleine Zwiebeln	abziehen, fein würfeln
3 Eßl. Butter	zerlassen, die Zwiebelwürfel darin glasig dünsten lassen, die gehackten Pilzstiele, die Leber-stückchen hinzufügen, etwa 5 Minuten mitdünsten lassen, mit
Salz, Pfeffer	würzen die Masse erkalten lassen, durch einen Fleischwolf geben, evtl. nochmals mit Salz, Pfeffer abschmecken die Hälfte der Champignonhüte mit der Masse füllen die restlichen Champignonhüte mit Salz bestreuen, jeweils einen davon auf einen gefüllten Pilzhut setzen, die gefüllten Champignons zuerst in
Weizenmehl 1 verschlage-nen Ei	dann in
Semmelmehl	zuletzt in wenden
Fritierfett	in einer Friteuse auf etwa 180 Grad erhitzen, die Pilze darin portionsweise in 10–12 Minuten goldbraun fritieren.

Champignon-Duxelles

Duxelles, benannt nach dem französischen Meisterkoch François Pierre la Varenne, der um 1650 in den Diensten des Marquis d'Uxelles stand, ist eine Art Champignon-Püree, das zur Verfeinerung von Füllungen und als Grundlage vieler Pilzgerichte dienen kann. Es läßt sich im Kühlschrank 3–4 Tage, ohne Zugabe von Petersilie bis zu 14 Tagen aufbewahren. Es kann auch eingefroren werden, sollte dann aber innerhalb von 6 Monaten verbraucht werden.

500 g Champignons	putzen, abspülen, auf Haushaltspapier abtropfen lassen, pürieren oder sehr fein hacken, in ein Leinen- oder Mullsäckchen geben, gut ausdrücken
100 g Schalotten	abziehen, fein würfeln
50 g Butter	zerlassen, die Schalottenwürfel darin glasig dünsten lassen, die Pilzmasse,
1 Eßl. feingehackte Petersilie	hinzufügen, die Masse unter Rühren so lange dünsten lassen, bis die Flüssigkeit verdampft ist, mit
Salz schwarzem Pfeffer	würzen.

Pfannkuchen mit Duxelles

200 g Weizen-mehl	in eine Schüssel sieben, in die Mitte eine Vertiefung eindrücken
2 Eier	mit
Salz	
500 ml (½ l) Milch	verschlagen, etwas davon in die Vertiefung geben, von der Mitte aus Eiermilch und Mehl verrühren, nach und nach die übrige Eiermilch hinzufügen, darauf achten, daß keine Klumpen entstehen
Butter oder Margarine	in einer Pfanne erhitzen, eine dünne Teiglage hineingeben, von beiden Seiten goldgelb backen aus dem restlichen Teig weitere Pfannkuchen backen
400 g Duxelles	(s. Rezept S. 58) erhitzen, auf den Pfannkuchen verteilen, die Pfannkuchen aufrollen, sofort servieren.

Schollen mit Champignonsoße

4 küchenfertige Schollen	unter fließendem kaltem Wasser abspülen, trockentupfen, mit
Zitronensaft	beträufeln, etwa 15 Minuten stehenlassen, trockentupfen, mit
Salz schwarzem Pfeffer	würzen, in
Weizenmehl	wenden
2 – 3 Eßl. Butter	in einer Pfanne zerlassen, die Schollen darin von beiden Seiten 10 – 15 Minuten braten lassen

für die Champignonsoße

250 g Champignons	putzen, abspülen, abtropfen lassen, in dünne Scheiben schneiden
1 Eßl. Butter	zerlassen, die Pilzscheiben etwa 5 Minuten darin dünsten lassen
2 Eßl. Weizen-mehl	darüber stäuben, unter Rühren so lange darin erhitzen, bis es hellgelb ist
125 ml (⅛ l) Fleischbrühe	
125 ml (⅛ l) Weißwein	hinzugießen, gut verrühren, darauf achten, daß keine Klumpen entstehen, die Soße zum Kochen bringen, mit
Salz, Pfeffer	würzen, etwa 10 Minuten kochen lassen
½ Becher (75 g) Crème fraîche	mit
1 Eigelb	verrühren, in die Soße rühren die Schollen auf einer vorgewärmten Platte anrichten
1 Eßl. gehackte Zitronen-melisse-blättchen	darüber streuen die Champignonsoße dazu reichen.
Beilage:	Butterkartoffeln oder Reis.

Champignon-Auberginen-Gemüse

(Abb. nebenstehend)

1 kg Auberginen	schälen, das Auberginenfleisch in Würfel schneiden, mit
Salz	bestreuen, etwa 30 Minuten ziehen lassen, trockentupfen
250 g Champignons	putzen, abspülen, abtropfen lassen, halbieren
1 kleine Zwiebel **2 Knoblauch-zehen**	beide Zutaten abziehen, fein würfeln
6 Eßl. Speiseöl	erhitzen, Zwiebel- und Knoblauchwürfel darin glasig dünsten lassen, Auberginenwürfel hinzufügen, etwa 5 Minuten mitdünsten lassen, mit
Pfeffer **Zitronensaft**	würzen
125 ml (⅛ l) Weißwein	hinzugießen, die Auberginen etwa 10 Minuten dünsten lassen, die halbierten Champignons hinzufügen, etwa 10 Minuten mitdünsten lassen, mit
Salz	abschmecken
2 Eßl. gehackte Petersilie	darüber streuen.

Kartoffelsalat mit Champignons

750 g fest-kochende Kartoffeln	waschen, in so viel
Wasser	zum Kochen bringen, daß die Kartoffeln bedeckt sind, in 20 – 25 Minuten gar kochen lassen, abgießen, abdämpfen, heiß pellen, in Scheiben schneiden
250 g Champignons	putzen, abspülen, abtropfen lassen
1 Eßl. Butter	zerlassen, die Pilzscheiben 5 – 7 Minuten darin dünsten lassen, mit
Salz	
Pfeffer	würzen
1 kleine Zwiebel	abziehen, in Scheiben schneiden
	für die Salatsoße
5 Eßl. Salatöl	mit
3 Eßl. Estragon-Essig	
3 Eßl. Wasser	
1 Teel. Zucker	
Salz	
Pfeffer	verrühren die Salatsoße mit den noch warmen Kartoffelscheiben vermengen, die gedünsteten Champignonscheiben, die Zwiebelscheiben unterheben
1 Eßl. gehackte glatte Petersilie	darüber streuen, den Salat sofort servieren.

61

Champignons, gegrillt

8 große Champignonhüte Olivenöl	abspülen, trockentupfen, mit bestreichen
	den Grillrost ausfetten, die Champignonhüte darauf legen, unter den heißen Grill schieben, von jeder Seite 2 – 3 Minuten grillen, mit
Salz, Pfeffer Knoblauchpulver	würzen.
Beigabe:	Toast, gemischter Salat.

Tomaten-Champignon-Salat

250 g Champignons	putzen, abspülen, trockentupfen, in sehr dünne Scheiben schneiden
2 große Fleischtomaten	waschen, abtrocknen, die Stengelansätze entfernen, die Tomaten halbieren, in Scheiben schneiden
	beide Zutaten auf einer Salatplatte anrichten
	für die Salatsoße
1 Schalotte 4 Eßl. Olivenöl	abziehen, fein würfeln, mit
2 Eßl. Estragon-Essig 1 Teel. Zucker Pfeffer, Salz	verrühren
1 Teel. feingehackte Basilikumblättchen	unterrühren
	die Salatsoße über die Salatzutaten geben
	den Tomaten-Champignon-Salat mit
Basilikumblättchen	bestreuen, sofort servieren.

Champignons Bordelaiser Art

500 g Champignons	putzen, abspülen, abtropfen lassen, halbieren oder vierteln
5 Eßl. Olivenöl	erhitzen, die Pilze etwa 10 Minuten darin braten lassen, bis die Flüssigkeit verdampft ist
	die Pilze herausnehmen, auf Küchenpapier abtropfen lassen
4 Schalotten 1 – 2 Eßl. Butter	abziehen, fein würfeln zerlassen, die Schalottenwürfel darin goldgelb dünsten lassen
2 Knoblauchzehen 8 Pfefferkörnern 1 Messerspitze Kümmel Salz	abziehen, grob zerteilen, mit im Mörser fein zerstoßen, zu den Schalottenwürfeln geben, unterrühren, die Pilze hinzufügen, erhitzen.

Champignons, mariniert

(Abb. unten)

250 g Champignons	putzen, abspülen, gut abtropfen lassen, in dünne Scheiben schneiden die Champignonscheiben auf 4 Portionsteller verteilen, mit dem
Saft von 1 – 2 Zitronen 3 – 4 Eßl. Olivenöl	beträufeln, mit
frisch gemahlenem Pfeffer	würzen, mit
1 Eßl. gehackter Petersilie	bestreuen, sofort servieren.

Pilz-Kartoffel-Gratin

750 g Kartoffeln	schälen, waschen, in dünne Scheiben schneiden, trockentupfen
300 g Champignons	putzen, abspülen, trockentupfen, in dünne Scheiben schneiden
1 kleine Zwiebel	abziehen, fein würfeln
2 Eßl. Butter	zerlassen, die Zwiebelwürfel darin glasig dünsten lassen, die Pilzscheiben hinzufügen, etwa 3 Minuten mitdünsten lassen, mit
Salz, Pfeffer	würzen eine flache feuerfeste Form ausfetten, die Hälfte der Kartoffelscheiben einschichten, mit Salz würzen, die gedünsteten Pilze darauf verteilen, die restlichen Kartoffelscheiben darüber schichten, mit Salz würzen
1 Knoblauchzehe	abziehen, fein hacken, mit
1 Messerspitze Kümmel (200 g) Sahne	über die Kartoffelscheiben geben mit
125 ml (⅛ l) Milch	verrühren, über den Auflauf gießen
80 g geriebenen Parmesan-Käse	darüber streuen die Form auf dem Rost in den vorgeheizten Backofen schieben, das Pilz-Kartoffel-Gratin goldbraun backen lassen
Strom:	200 – 225, Gas: 4 – 5
Backzeit:	Etwa 50 Minuten.

Champignon-frikadellen

500 g Champignons	putzen, abspülen, abtropfen lassen, in feine Stücke schneiden oder hacken
2 Schalotten	abziehen, fein würfeln
2 Eßl. Speiseöl	erhitzen, die Schalottenwürfel darin glasig dünsten lassen, die Pilzstückchen hinzufügen, etwa 10 Minuten mitdünsten, abkühlen lassen
1 Brötchen **lauwarmer Milch**	in einweichen, gut ausdrücken
½ Knoblauch-zehe	abziehen, fein hacken, mit den gedünsteten Champignons, dem Brötchen,
1 Ei **Salz** **Pfeffer** **½ Tel. gehackten Majoran-blättchen**	gut verkneten, mit würzen aus der Masse Frikadellen formen, in
Semmelmehl	wenden
Speiseöl	in einer Pfanne erhitzen, die Frikadellen darin von beiden Seiten in etwa 10 Minuten knusprig braun braten.
Beigabe:	Kartoffelsalat.

Essig-Champignons

(Abb. nebenstehend)

1 kg Champignons	putzen, abspülen, abtropfen lassen, in
kochendes Wasser	geben, zum Kochen bringen, etwa 2 Minuten kochen lassen, auf ein Sieb geben, sofort mit kaltem Wasser übergießen, abtropfen lassen die Pilze in sorgfältig gespülte Gläser mit Schraubverschluß füllen
	für die Essig-Zucker-Lösung
125 ml (⅛ l) Weißweinessig **6 – 7 Eßl. Wasser** **100 g Zucker** **1 Teel. Salz** **½ Teel. getrock-nete Ingwer-stücke**	mit unter Rühren zum Kochen bringen, so lange kochen lassen, bis sich der Zucker gelöst hat die Flüssigkeit heiß über die Champignons gießen (die Pilze müssen ganz bedeckt sein) die Gläser sofort verschließen, die Essig-Champignons 1 – 2 Tage durchziehen lassen, dann kühl und dunkel (Keller) aufbewahren. Essig-Champignons sind einige Monate haltbar.

Tomaten mit Champignonfüllung

12 mittelgroße Tomaten	waschen, abtrocknen, einen Deckel abschneiden, das Innere aushöhlen, die Tomaten auf Küchenpapier abtropfen lassen, mit der Öffnung nach oben in eine gefettete flache Form setzen
	für die Füllung
1 große Zwiebel	abziehen, fein würfeln
3 Eßl. Speiseöl	erhitzen, die Zwiebelwürfel darin glasig dünsten lassen
400 g Champignons	putzen, abspülen, abtropfen lassen, in dünne Scheiben schneiden, zu den Zwiebelwürfeln geben, etwa 5 Minuten mitdünsten lassen
1 Teel. Weizenmehl	darüber stäuben, unterrühren, durchdünsten lassen
1 Eigelb	verschlagen, mit
1 Eßl. gehackter Petersilie Salz schwarzem Pfeffer	unter die Pilze rühren, mit würzen die Pilzmasse in die ausgehöhlten Tomaten füllen
2 Eßl. zerbrökkeltes Weißbrot	mit
1 Eßl. Parmesan-Käse	vermischen, über die Tomaten streuen
Butter	in Flöckchen darauf setzen, die Form auf dem Rost in den vorgeheizten Backofen schieben, die Tomaten überbacken
Strom:	Etwa 200
Gas:	Etwa 4
Backzeit:	Etwa 30 Minuten.

Chicorée-Salat mit Egerlingen

	Von
500 g Chicorée	die welken Blätter entfernen, den Chicorée halbieren, den Strunk keilförmig herausschneiden, den Chicorée waschen, abtropfen lassen, in Streifen schneiden
250 g Egerlinge	putzen, abspülen, trockentupfen, in sehr dünne Scheiben schneiden *für die Salatsoße*
1 Knoblauchzehe	abziehen, fein hacken, mit dem
Saft von 1 Zitrone 5 – 6 Eßl. Sahne 2 Teel. Zucker Salz Pfeffer	verrühren die Salatsoße mit den Salatzutaten vermengen, den Salat etwas durchziehen lassen
1 Eßl. feingeschnittenen Schnittlauch	darüber streuen.

Schweinemedaillons in Egerlingsoße

	Für die Soße
500 g Egerlinge	putzen, abspülen, abtropfen lassen, in dünne Scheiben schneiden
2 Schalotten **1 Knoblauch-** **zehe**	beide Zutaten abziehen, fein würfeln
2 Eßl. Speiseöl	erhitzen, Schalotten- und Knoblauchwürfel darin glasig dünsten lassen, die Pilzscheiben hinzufügen, etwa 5 Minuten mitdünsten lassen, mit
Salz **schwarzem** **Pfeffer**	würzen
1 Eßl. Tomaten- **mark** **1 Becher** **(150 g) Crème** **fraîche**	unter die Pilze rühren
8 Schweine- **medaillons** **(je etwa 50 g)** **3 Eßl. Speiseöl**	abspülen, trockentupfen erhitzen, die Schweinemedaillons von jeder Seite 2 – 3 Minuten darin braten lassen, mit
Salz **Pfeffer**	würzen die Schweinemedaillons auf einer vorgewärmten Platte anrichten, die Egerlingsoße darüber geben
1 Eßl. gehackte **Salbeiblättchen**	darüber streuen.

Egerlinge Orly Art

400 g große **Egerlingshüte** **Salz** **schwarzem** **Pfeffer**	abspülen, trockentupfen, mit bestreuen
	für den Bierteig
150 g Weizen- **mehl**	in eine Schüssel sieben, in die Mitte eine Vertiefung eindrücken
200 ml (⅕ l) **helles Bier** **2 Eßl. Speiseöl** **2 Eigelb** **Salz**	mit verschlagen, etwas davon in die Vertiefung geben, von der Mitte aus die Bier-Eigelb-Masse und Mehl verrühren, nach und nach die restliche Flüssigkeit hinzufügen, darauf achten, daß keine Klumpen entstehen
2 Eiweiß	steif schlagen, unter den Bierteig heben, die Egerlingshüte einzeln in den Teig tauchen
Fritierfett	in einer Friteuse auf 180 Grad erhitzen, die Pilzhüte portionsweise darin in 5 – 6 Minuten goldgelb fritieren, auf Haushaltspapier abtropfen lassen.
Beilage:	Reis, gemischter Salat.

Riesenschirmpilz, Parasol

Der Parasol ist der größte aller Hutpilze. Der Stiel kann bis zu 40 cm hoch werden und der wie ein Regenschirm aufgespannte Hut etwa 30 cm breit. Der junge Pilz allerdings sieht eher einem Paukenschlegel ähnlich.

Von Juli bis November wächst der Parasol in lichten Wäldern, an Waldrändern, in Gärten und an Böschungen. Er liebt die Geselligkeit und erscheint in manchen Jahren massenhaft.

Jung ist er ein ausgezeichneter Speisepilz, der an seiner ungewöhnlichen Form und später an seinem verschiebbaren Ring gut zu erkennen ist.

Das Fleisch ist zart und mildaromatisch. Der Stiel wird bald holzig und sollte weggeschnitten werden. Ältere Pilze, die schon überständig sind, können ziemlich fad schmecken.

Genauso häufig wie der Parasol ist der Safranschirmpilz, der nicht ganz so groß wird, aber mindestens genauso gut schmeckt und dessen saftiges Fleisch beim Anschnitt rasch rötlich anläuft. Er wächst von Juli bis November mit Vorliebe in Nadelwäldern.

Riesenschirmpilze werden am besten an der Fundstelle gereinigt, da sie vor allem bei länger anhaltender Trockenheit oft verwurmt sind.

Um zu prüfen, ob die Pilze einwandfrei sind, sollten kleinere, noch geschlossene Pilze längs – von unten durch Stiel und Hut – durchgeschnitten werden. Bei größeren Schirmpilzen wird der Stiel herausgedreht und als erstes die Bruchstelle zum Stiel überprüft. Große aufgeschirmte Pilze sind seltener verwurmt als kleine.

Ausgewachsene Pilzhüte sollten nur gebraten werden, die Hüte kleinerer Pilze werden wie andere Speisepilze zubereitet. Sehr schmackhaft sind Mischgerichte mit jungen Riesenschirmpilzen, Violetten Rötelritterlingen, Hallimasch und Stockschwämmchen.

Parasol, gebacken

(Abb. nebenstehend)

400 g junge
Parasolhüte mit einem trockenen Tuch
vorsichtig abreiben, mit

Salz, Pfeffer bestreuen
die Parasolhüte zuerst in

Weizenmehl dann in
1 verschlage-
nen Ei zuletzt in
Semmelmehl wenden
Fritierfett in einer Friteuse auf etwa
180 Grad erhitzen, die Pilze darin
portionsweise in 5 – 6 Minuten
goldgelb fritieren, auf Haushalts-
papier abtropfen lassen.

Parasol im Teig

400 g junge
Parasolhüte mit einem trockenen Tuch
vorsichtig abreiben

für den Eierkuchenteig

100 g Weizen-
mehl in eine Schüssel sieben, in die
Mitte eine Vertiefung eindrücken

2 Eier mit
125 ml (⅛ l)
Milch
Salz verschlagen, etwas davon in die
Vertiefung geben, von der Mitte
aus Eiermilch und Mehl verrühren,
nach und nach die übrige
Eiermilch hinzufügen, darauf
achten, daß keine Klumpen
entstehen

1 Eßl. gehackte Petersilie	unterrühren die Parasolhüte einzeln in den Teig tauchen
Fritierfett	in einer Friteuse auf 180 Grad erhitzen die Pilze portionsweise darin in 1 – 2 Minuten goldgelb fritieren, auf Haushaltspapier abtropfen lassen.
Beigabe:	Kopfsalat.

Parasol in Dill-Sahne-Soße

500 g junge Parasolhüte	mit einem trockenen Tuch vorsichtig abreiben, die Pilzhüte in Stücke schneiden
75 g durch-wachsenen Speck	in Würfel schneiden
1 Eßl. Butter	zerlassen, die Speckwürfel darin ausbraten
1 Schalotte	abziehen, würfeln, in dem Speckfett glasig dünsten lassen, die Pilzstücke hinzufügen, 10 – 12 Minuten dünsten lassen, mit
Salz, Pfeffer	würzen
75 ml Sahne	mit
1 Becher (150 g) Crème fraîche	unterrühren, zum Kochen bringen
2 – 3 Eßl. fein-gehackten Dill	unterrühren, die Pilze sofort servieren.
Beilage:	Folienkartoffeln.

Schopftintling

Er ist ein seltsamer Pilz: wenn er reif ist, zerfließt er einfach vom Hutrand her und zurück bleiben ein nackter Stengel und ein schwärzlicher Fleck auf dem Boden. Diese Selbstauflösung ist das markante Merkmal mehrerer Tintlinge, und sie lassen sich wegen dieser Eigenschaft weder aufbewahren noch trocknen.

Dabei ist der Schopftintling ein ausgezeichneter Speisepilz, der bereits ab April massenhaft auftreten kann. Er bevorzugt Kompost, Schutt, Müll und auch gedüngte Wiesen. Niemals wächst er allein, sondern immer in großen Gruppen.

Der Schopftintling ist leicht kultivierbar und hätte sicherlich gute Marktchancen, wenn er länger haltbar wäre. Wegen seiner Zerbrechlichkeit heißt er auch Porzellantintling.

Tintlingskenner und -sammler achten darauf, daß nur vollständig geschlossene Hüte gesammelt werden oder mindestens solche, deren Lamellen noch nicht die geringste rosa Färbung haben. Der Stiel wird sogleich an der Fundstelle abgeknickt oder herausgedreht und die Pilzhüte zu Hause sofort in Essig-, Zitronen- oder Salzwasser getaucht. Sie halten sich dann über Nacht, ganz jung geerntete Pilze sogar einige Tage.

Werden in den Rezepten nur die Schopftintlingshüte verwendet, so können die Stiele als Gemüse wie Spargel zubereitet werden. Das ist ein uraltes Rezept und hat dem Pilz deshalb auch den Namen Spargelpilz gegeben. Schopftintlinge garen schnell — schon nach 3 – 4 Minuten sind sie tischfertig.

Früher wurde aus ihnen oft ein Pilzextrakt bereitet, der mit Zitrone, Salz und weißem Pfeffer gewürzt, Soßen, Suppen und Fleischgerichte verfeinerte.

Der häufige Einwand, daß Tintlinge nicht mit Alkohol zusammen genossen werden dürfen, verdächtigt den Schopftintling zu Unrecht. Gemeint ist der Falten- oder Knotentintling, der jedoch mit seinem glatten Hut und faltigem Hutrand ganz anders aussieht als der Schopftintling.

Spargelcreme Solothurn

250 g Suppen-spargel	sorgfältig von oben nach unten schälen, die unteren Enden abschneiden, den Spargel waschen, in 3 cm lange Stücke schneiden, in
250 ml (¼ l) kochendes Salz-wasser	geben, zum Kochen bringen, etwa 15 Minuten kochen lassen, den Spargel herausnehmen, das Spargelwasser durch ein Sieb gießen, 125 ml (1/8 l) davon abmessen
300 g junge weiße Schopftintlinge	putzen, unter fließendem kaltem Wasser abspülen, abtropfen lassen, Pilzhüte und Stiele in kleine Stücke schneiden
2 Eßl. Butter	zerlassen, die Pilzstückchen 3–4 Minuten darin dünsten lassen
1 Eßl. Weizen-mehl	darüber stäuben, unter Rühren so lange darin erhitzen, bis es hell-gelb ist die abgemessene Spargel-flüssigkeit,
1 l Hühner-brühe	hinzugießen, mit einem Schneebesen durchschlagen, zum Kochen bringen, etwa 5 Minuten kochen lassen, die gekochten Spargelstücke hinzufügen, miterhitzen
75 ml Sahne 3 Eigelb	mit verschlagen, die Suppe damit legieren, mit
Salz	abschmecken
2 Eßl. gemisch-te gehackte Kräuter (glatte Petersilie, Kerbel, Zitro-nenmelisse)	in die Spargelcreme rühren.

Schopftintlinge nach Spargelart

400 g junge weiße Schopf-tintlinge	putzen, unter fließendem kaltem Wasser abspülen, abtropfen lassen, die Stiele von den Hüten trennen, die Stiele ganz lassen, in Hüte in Scheiben schneiden
150 ml Milch 150 ml Wasser ½ Teel. Salz	mit zum Kochen bringen, die Pilzstiele und -hüte hinzugeben, zum Kochen bringen, etwa 3 Minuten dünsten lassen, mit einem Schaumlöffel vorsichtig herausnehmen, gut abtropfen lassen, auf einer vorgewärmten Platte anrichten
100 g Butter	zerlassen (nicht bräunen), über die Schopftintlinge geben
1 Eßl. gehackte Petersilie	darüber streuen.
Beilage:	Knochenschinken, Folienkartoffeln.

Schopftintlinge mit Erbsen

300 g ausge-palte Erbsen (etwa 600 g mit Schoten)	waschen, in
wenig kochen-des Salzwasser	geben, zum Kochen bringen, in etwa 15 Minuten gar dünsten lassen
500 g junge weiße Schopf-tintlinge	putzen, unter fließendem kaltem Wasser abspülen, abtropfen lassen, Pilzhüte und -stiele in Stücke schneiden
50 g Butter oder Margarine	zerlassen, die Pilzstücke darin 3 – 4 Minuten dünsten lassen die Erbsen hinzufügen, miter-hitzen, mit
Salz geriebener Muskatnuß	würzen
2 – 3 Eßl. glatte gehackte Petersilie	darüber streuen.

Schopftintlinge mit Erbsen zu Steaks und Röstkartoffeln servieren.

Schopftintlinge in Eiersoße

500 g junge weiße Schopf-tintlinge	putzen, unter fließendem kaltem Wasser abspülen, abtropfen lassen, Pilzhüte und -stiele in Stücke schneiden
3 Eßl. Butter oder Margarine	zerlassen, die Pilzstücke darin 3 – 4 Minuten dünsten lassen, mit
Salz	würzen, aus dem Fett nehmen, warm stellen das Fett wieder erhitzen
1 Eßl. Weizen-mehl	unter Rühren so lange darin erhitzen, bis es hellgelb ist
75 ml Milch	hinzugießen, mit einem Schneebesen durchschlagen, darauf achten, daß keine Klumpen entstehen, die gedünsteten Pilzstücke hinzufügen, erhitzen, mit Salz,
geriebener Mus-katnuß	würzen
2 Eßl. Sahne	mit
2 Eigelb	verrühren, die Soße damit legieren
2 Eßl. gehack-ten Kerbel	darüber streuen.

Reifpilz

Der Reifpilz liebt Heidelbeeren, Kiefern, Fichten und Rotbuchen, im Gebirge auch Birken. Wenn die Nächte warm bleiben, also im August und September, kommt er in manchen Jahren beinahe massenhaft vor, in anderen wiederum so gut wie gar nicht.

Pilzkenner schätzen ihn als einen der bestschmeckenden und ergiebigsten Speisepilze, der außerdem den Vorteil hat, daß er gut erkennbar ist.

Leider ist er oft verwurmt, vor allem nach längerer Trockenheit.

Das weißliche Fleisch riecht und schmeckt mild, ist zart und für jedes Pilzgericht zu verwenden. Hut und Stiel sind von gleicher Qualität, solange der Pilz frisch ist und nicht bei Regenwetter geerntet wird. Stiele älterer Pilze sind fasrig und matschig, sie sollten besser weggeschnitten werden.

Reifpilze garen schnell, in feinen Scheiben sind sie schon nach knapp 10 Minuten fertig. Früher wurden Reifpilze vor allem für Salate sauer oder süßsauer zubereitet und süßsauer in Essig eingelegt.

In manchen Gegenden heißt der Pilz wegen seiner deutlichen Hutfaserung Runzelschüppling, woanders Zigeuner.

Reifpilze Vienna

500 g Reifpilze	putzen, abspülen, abtropfen lassen, die Stiele von den Hüten trennen, die Stiele fein hacken, die Hüte in dünne Scheiben schneiden
1 kleine Zwiebel **1 Knoblauch-** **zehe**	
	beide Zutaten abziehen, fein würfeln
50 g Butter- **schmalz**	zerlassen, die Zwiebel- und Knoblauchwürfel darin glasig dünsten lassen, die gehackten Pilzstiele hinzufügen, mitdünsten lassen, die Pilzscheiben unterrühren, die Pilze in etwa 15 Minuten gar dünsten lassen, mit
Salz **Pfeffer** **geriebener** **Muskatnuß**	würzen
1 Teel. gehack- **te Zitronen-** **melisse-** **blättchen** **1 Teel. gehack-** **te Salbei-** **blättchen**	unterrühren, die Pilze warm stellen
	für die Soße
20 g Butter **20 g Weizen-** **mehl**	zerlassen
	unter Rühren so lange darin erhitzen, bis es hellgelb ist
125 ml (⅛ l) **Hühnerbrühe**	hinzugießen, mit einem Schneebesen durchschlagen, darauf achten, daß keine Klumpen entstehen, die Soße zum Kochen bringen, etwa 10 Minuten kochen lassen
125 ml (⅛ l) **Sahne** **1 Eigelb**	mit verschlagen, die Soße damit legieren, mit
Salz	abschmecken die gedünsteten Pilze auf
4 Scheiben **geröstetem** **Toastbrot**	anrichten, die Soße darüber verteilen die Toastbrote mit
Zitronenmelisse	garnieren, sofort servieren.

Reisfleisch mit Pilzen

500 g Reifpilze	putzen, abspülen, abtropfen lassen, in Stücke schneiden
1 Zwiebel	abziehen, fein würfeln
2 Eßl. Butter **oder Margarine**	zerlassen, die Zwiebelwürfel darin glasig dünsten lassen
250 g Lang- **kornreis**	hinzufügen, unter Rühren etwa 5 Minuten darin anbraten
250 g Gehack- **tes (halb Rind-,** **halb Schweine-** **fleisch)**	hinzufügen, unter Rühren darin anbraten, dabei die Fleisch-klümpchen etwas zerdrücken die Pilzstücke,

2 Teel. Curry-pulver	unterrühren
500 ml (¼ l) Hühnerbrühe	hinzugießen, zum Kochen bringen, in etwa 20 Minuten gar kochen lassen, mit
Salz	würzen
1 Eßl. abgezogene, gehackte Mandeln	über das Reisfleisch geben.

Gefüllte Gurken

4 Gemüse-gurken (etwa 1 kg)	waschen, abtrocknen, längs halbieren, die Kerne mit einem Löffel herauskratzen
	für die Füllung
500 g Reifpilze	putzen, abspülen, abtropfen lassen, fein hacken
1 Zwiebel	abziehen, fein würfeln
3 Eßl. Olivenöl	erhitzen, die Zwiebelwürfel darin glasig dünsten lassen, die gehackten Pilze,
2 Eßl. gehackte Petersilie	hinzufügen, die Pilze in etwa 10 Minuten gar dünsten lassen, mit
Salz Pfeffer	würzen
3 Eßl. Crème fraîche	unterrühren die Füllung in die ausgehöhlten Gurkenhälften geben
2 Eßl. Butter	zerlassen, die gefüllten Gurken darin andünsten

125 ml (⅛ l) Fleischbrühe	hinzugießen, zum Kochen bringen, die gefüllten Gurken zugedeckt in etwa 35 Minuten gar dünsten lassen.

Eiersalat mit Reifpilzen

400 g Reifpilze	putzen, abspülen, abtropfen lassen, in dünne Scheiben schneiden
1 l Salzwasser	zum Kochen bringen, die Pilzscheiben hinzufügen, zum Kochen bringen, etwa 10 Minuten kochen, gut abtropfen lassen
4 hartgekochte Eier	pellen, in Achtel schneiden beide Zutaten in eine Salatschüssel geben
	für die Salatsoße
1 Eigelb 1 Eßl. Olivenöl einigen Tropfen Zitronensaft 2 Eßl. Crème fraîche Salz Pfeffer	mit verrühren
1 Eßl. gehackte Basilikum-blättchen	unterrühren die Salatsoße über die Salatzutaten geben den Salat mit
Basilikum-blättchen	garnieren.

Frikassee von Reifpilzen

500 g Reifpilze	putzen, abspülen, abtropfen lassen, in Scheiben schneiden
1 Eßl. Speiseöl	erhitzen, die Pilzscheiben darin etwa 5 Minuten dünsten lassen, warm stellen
1 mittelgroße Zwiebel **1 Knoblauch- zehe**	beide Zutaten abziehen, fein würfeln
20 g Butter	zerlassen, die Zwiebel- und Knoblauchwürfel darin glasig dünsten lassen
20 g Weizen- mehl	unter Rühren so lange darin erhitzen, bis es hellgelb ist
125 ml (⅛ l) Hühnerbrühe **125 ml (⅛ l) trockenen Weißwein**	hinzugießen, mit einem Schneebesen durchschlagen, darauf achten, daß keine Klumpen entstehen, die Soße zum Kochen bringen, etwa 5 Minuten kochen lassen die Pilze in die Soße geben, zum Kochen bringen, etwa 10 Minuten kochen lassen
1 Teel. Kapern **Zitronensaft** **Tabasco** **Salz**	in das Frikassee geben, mit würzen
125 ml (⅛ l) Sahne	fast steif schlagen, unter das Frikassee ziehen.
Beilage:	Reis, Endiviensalat.

Risotto mit Reifpilzen

(Abb. nebenstehend)

750 g Reifpilze	putzen, abspülen, abtropfen lassen, in kleine Stücke schneiden
1 – 2 Zwiebeln **50 g Butter- schmalz**	abziehen, fein würfeln zerlassen, die Zwiebelwürfel darin glasig dünsten lassen die Pilzstücke hinzufügen, mitdünsten lassen, bis die Flüssigkeit fast verdampft ist die Pilze mit
Salz **Pfeffer** **Suppenwürze** **1 Eßl. gehack- ten Thymian- blättchen**	würzen
350 g Lang- kornreis	unter die Pilze rühren
knapp 500 ml (½ l) Wasser	hinzugießen, zum Kochen bringen, etwa 20 Minuten kochen lassen das Risotto mit Salz, Pfeffer abschmecken
2 – 3 Eßl. fein- gehackten Dill	unterrühren.
Beigabe:	Tomatensalat mit Zwiebelringen.

Täublinge

Es sind die farbenprächtigsten Pilze unserer Wälder, die ab Juli bis zu den ersten Nachtfrösten oft massenhaft wachsen.

Jeder Sammler lernt bald, Täublinge von anderen Pilzen zu unterscheiden: das auffällig spröde Fleisch ohne Fasern bricht wie eine Apfelscheibe, die prächtigen Hutfarben, die dicken spröden Stiele ohne Ring und ohne Knolle sind sichere Erkennungszeichen. Unter den rund 150 verschiedenen Täublingsarten sind keine gefährlichen Giftpilze, aber einige sehr scharf im Geschmack und andere ungenießbar.

Die Beschäftigung mit Täublingen lohnt sich, denn viele von ihnen sind ausgezeichnete Speisepilze. Eßbar sind alle mildschmeckenden Arten. Aber auch scharf schmeckende Täublinge haben viele Liebhaber. Die Pilze müssen jedoch eingeweicht und abgekocht oder entsprechend konserviert werden.

Einer der begehrtesten Speisepilze — von manchen über den Steinpilz gestellt — ist der Grüngefelderte Täubling, auch Herrentäubling genannt. Er wächst von Juli bis Oktober mit Vorliebe unter Laubbäumen. Bekannt sind Anfängern auch zumindest vom Namen her Speise-, Apfel- und Goldtäubling, dazu Frauen-, Herings- und Ledertäubling.

Gerichte mit diesen Pilzen können eigentlich nie mißlingen, denn Täublinge können auf jede für Speisepilze geeignete Weise zubereitet, auch eingelegt, werden. Sie sind schon nach etwa 10 Minuten gar. Die Garzeit kann aber auch ohne weiteres verlängert werden, da sie auch dann weder hart noch schleimig werden. In der italienischen Küche werden sie häufig — unter gelegentlichem Angießen von Milch — gedünstet, und zwar bis zu zwei Stunden.

Besonders schmackhaft werden Täublingsgerichte durch Beigabe frischer Kräuter wie Petersilie, Fenchelkraut, Salbei, Basilikum oder auch Knoblauch.

Trocknen lohnt übrigens nicht, da das Aroma verfliegt.

Hamburger Fischtopf

750 g Rotbarschfilet	unter fließendem kaltem Wasser abspülen, trockentupfen, mit
Zitronensaft	beträufeln, etwa 30 Minuten stehenlassen, wieder trockentupfen, mit
Salz **Pfeffer**	bestreuen
100 g durchwachsenen Speck	in Würfel schneiden
2 große Zwiebeln	abziehen, in Scheiben schneiden den Speck auslassen, die Zwiebelscheiben darin glasig dünsten lassen
300 g Täublinge	putzen, abspülen, trockentupfen, in Scheiben schneiden
3 Tomaten	waschen, halbieren, die Stengelansätze entfernen, die Tomaten in Würfel schneiden Fisch- und Tomatenwürfel, Pilzscheiben in die Speck-Zwiebel-Masse geben
1 Lorbeerblatt **125 ml (⅛ l) trockenen Weißwein**	hinzufügen, den Fischtopf zugedeckt in etwa 15 Minuten gar dünsten lassen, mit Salz,
schwarzem Pfeffer	würzen.
Beilage:	Petersilienkartoffeln.

Gegrillte Täublinge mit Haushofmeisterbutter

Für die Haushofmeisterbutter

50 g weiche Butter **1 Teel. gehackter Petersilie** **einigen Tropfen Zitronensaft** **½ Teel. Dijon-Senf**	mit
Pfeffer	gut verkneten, kleine Kugeln daraus formen, im Kühlschrank fest werden lassen
500 g Täublinge	putzen, abspülen, trockentupfen, mit
Speiseöl	beträufeln den Grillrost ausfetten, die Pilze darauf legen, unter den heißen Grill schieben, von jeder Seite etwa 2 Minuten grillen, mit
Salz **Pfeffer**	würzen die Pilze mit der Haushofmeisterbutter servieren.

Pilzkartoffeln, überbacken

300 g Täublinge	putzen, abspülen, trockentupfen, in dünne Scheiben schneiden
2 rote Zwiebeln	abziehen, fein würfeln
4 Eßl. Speiseöl	erhitzen, die Zwiebelwürfel darin kurz andünsten, die Pilzscheiben hinzufügen, in etwa 10 Minuten gar dünsten lassen, mit
Salz schwarzem Pfeffer	würzen
750 g gekochte Kartoffeln	in Scheiben schneiden
4 hartgekochte Eier	pellen, in Scheiben schneiden eine feuerfeste gefettete Form mit der Hälfte von
200 g gekochtem Schinken (in Scheiben – ohne Fettrand)	auslegen, die Kartoffelscheiben darauf schichten, mit Salz bestreuen, die gedünsteten Pilze, dann die Eierscheiben einschichten, mit Salz bestreuen
200 g saure Sahne	verrühren, darüber geben, mit den restlichen Schinkenscheiben bedecken, mit
2 Eßl. geriebenem Emmentaler Käse	bestreuen die Form auf dem Rost in den vorgeheizten Backofen schieben, den Auflauf goldgelb backen

Strom:	200 – 225
Gas:	4 – 5
Backzeit:	Etwa 25 Minuten.
Beigabe:	Chicorée-Apfelsinen-Salat mit Sahnesoße.

Feldsalat mit jungen Täublingen

250 g junge Täublinge	putzen, abspülen, trockentupfen, in dünne Scheiben schneiden
1 – 2 Eßl. Butter	zerlassen, die Pilzscheiben darin etwa 5 Minuten dünsten lassen, mit
Salz Pfeffer	würzen, abkühlen lassen von
100 g Feldsalat (Rapunzeln)	die Wurzelenden abschneiden, welke Blätter entfernen, große Blätter teilen, den Salat gründlich waschen, gut abtropfen lassen
	für die Salatsoße
1 Knoblauchzehe	abziehen, fein würfeln, mit
125 ml (⅛ l) Sahne Saft von ½ Zitrone 1 Teel. Zucker Salz Pfeffer	verrühren die Salatsoße über die Salatzutaten geben, vorsichtig vermengen.

Milchlinge (Reizker, Brätling)

Für Pilzsammler sind Milchlinge die am leichtesten zu erkennenden Pilze. Werden die Lamellen nahe am Stiel verletzt oder wird ein Stück vom Hutrand abgebrochen, dann tritt eine weiße, wäßrige oder orangerote Milch aus, zumindest, solange der Pilz jung und frisch ist. Diese milchige Flüssigkeit kann bei einigen Arten ihre Farbe an der Luft verändern und schmeckt entweder mild oder brennend scharf bzw. bitter.

Alle scharf- bzw. bitterschmeckenden Milchlinge sind ungenießbar, jedenfalls ohne Vorbehandlung. Vor der Zubereitung sollten sie aufgekocht werden (das Kochwasser wird weggeschüttet).

Es gibt über 70 verschiedene Milchlingsarten, von denen die beliebtesten bei uns die Reizker mit roter Milch und der Brätling sind. Nur eine Milchlingsart ist schwach giftig: der Bruchreizker. Er hat weißlichwäßrige Milch.

Über den Geschmack der Reizker gehen die Meinungen sehr auseinander. Am besten ist der verhältnismäßig seltene Blutreizker, am häufigsten ist der Fichtenreizker vertreten. Er hat zwar nicht dasselbe Aroma wie sein wertvollerer Vetter, schmeckt aber trotzdem sehr gut. Sein etwas bitterer Geschmack gibt Gerichten eine charakteristische pikante Note.

Der Pilz wird gut geputzt, aber nur kurz abgespült, da die reichlich quellende Milch den typischen Geschmack ausmacht. Muß der Pilz gewaschen werden, dann möglichst unzerteilt und in Milch. In der Regel sind ältere Reizker immer verwurmt, aber auch junge, die bei anhaltender Trockenheit gefunden werden.

Der Reizker kann gebraten, gedünstet, aber auch in Essig eingelegt oder zu einem wohlschmeckenden Pilzextrakt verarbeitet werden. Getrocknet sollte der Reizker nicht werden, da dabei das Aroma verlorengeht.

Er gart ziemlich schnell und hat meistens schon nach etwa 5 Minuten den richtigen Biß. Er darf jedoch nicht in Fett schwimmen, weil er dann hart wird.

Sehr begehrt ist aus der Milchlingfamilie der Brätling, der von vielen Sammlern auch roh, nur mit etwas Salz und Muskat gewürzt, gegessen wird.

Essig-Reizker

500 g Reizker-hüte	gründlich putzen, sauber schaben oder in
Milch 500 ml (½ l)	abspülen, abtropfen lassen
Salzwasser	zum Kochen bringen, die Pilzhüte hinzufügen, zum Kochen bringen, etwa 5 Minuten kochen, abtropfen lassen
4 Schalotten 2 Knoblauch-zehen	beide Zutaten abziehen, mit
125 ml (⅛ l) Estragonessig 250 ml (¼ l) Wasser 3 Lorbeer-blättern 10 weißen Pfefferkörnern 1 Eßl. Zucker Salz	in einem Topf zum Kochen bringen
4 – 5 Estragon-zweige 1 Minzezweig	beide Kräuter vorsichtig abspülen, in die Flüssigkeit geben, zum Kochen bringen die Pilzhüte hinzufügen, den Topf von der Kochstelle nehmen, die Pilzhüte in der Essigflüssigkeit erkalten lassen die Pilzhüte in sorgfältig gespülte Gläser mit Schraubverschluß geben, die Flüssigkeit darüber gießen, die Gläser verschließen, an einem kühlen Ort (Keller) aufbewahren.

Kaltes Pilz-Tomaten-Gemüse

400 g Edel-reizker	gründlich putzen, sauber schaben oder in
Milch	abspülen, abtropfen lassen, große Pilze halbieren
2 Schalotten 4 Eßl. Olivenöl	abziehen, in Scheiben schneiden erhitzen, die Schalottenscheiben darin glasig dünsten lassen die Pilze hinzufügen, mitdünsten lassen
2 Fleisch-tomaten	kurze Zeit in kochendes Wasser legen (nicht kochen lassen), in kaltem Wasser abschrecken, die Tomaten enthäuten, halbieren, entkernen, die Stengelansätze entfernen, das Tomatenfleisch in Würfel schneiden, zu den Pilzen geben, mitdünsten lassen
125 ml (⅛ l) trockenen Weißwein 1 Lorbeerblatt Salz schwarzem Pfeffer Zucker	hinzufügen, mit würzen, das Pilz-Tomaten-Gemüse noch 3 – 5 Minuten dünsten, erkalten lassen.
Beigabe:	Kalter Braten, Weißbrot.

Reizkersalat mit weißen Bohnen

300 g Edel-reizker	gründlich putzen, sauber schaben oder in
Milch	abspülen, gut abtropfen lassen, in sehr dünne Scheiben schneiden, in
500 g (½ l) kochendes Salzwasser	geben, zum Kochen bringen, etwa 8 Minuten kochen, abtropfen lassen
200 g gekochte weiße Bohnen	abtropfen lassen
	für die Salatsoße
1 Schalotte **1 Knoblauch-zehe**	beide Zutaten abziehen, fein würfeln, mit
5 Eßl. Olivenöl **Saft von ½ Zitrone** **1 Teel. Zucker** **Salz** **Pfeffer**	verrühren die Salatzutaten mit der Salatsoße vermengen, den Salat mit
1 Eßl. gehack-ten Basilikum-blättchen	bestreuen.

Milchbrätlinge aus der Pfanne

400 g Milch-brätlingshüte	gründlich putzen, sauber schaben oder in
Milch	abspülen, abtropfen lassen
2 Knoblauch-zehen	abziehen, fein hacken
½ Teel. Kümmel	hacken
4 Eßl. Olivenöl	erhitzen, die Pilzhüte mit den Lamellen nach unten hineinlegen, in etwa 3 Minuten gut anbraten, wenden, den gehackten Kümmel und Knoblauch hinzufügen, die Pilzhüte mit
Pfeffer	bestreuen, etwa 5 Minuten weiterbraten lassen, mit
Salz	würzen, sofort servieren.
Beigabe:	Knoblauchbrot.

Reizkeromeletts mit Schnittlauch

400 g Edel-reizker	gründlich putzen, sauber schaben oder in
Milch	abspülen, gut abtropfen lassen, halbieren
2 Eßl. Butter	in einer Pfanne zerlassen, die Pilzhälften darin von beiden Seiten etwa 6 Minuten braten, mit
Salz	
Pfeffer	würzen, die Hälfte der Pilze herausnehmen, warm stellen
	für die Omeletts
6 Eier	mit
Salz	
3 Eßl. Sahne	verschlagen, die Hälfte der Eiermasse über die gebratenen Pilzhälften gießen, die Pfanne mit einem Deckel verschließen, die Eiermasse bei schwacher Hitze in etwa 10 Minuten langsam gerinnen lassen, das Omelett herausnehmen, auf eine vorgewärmte Platte geben, warm stellen
2 Eßl. Butter	in der Pfanne zerlassen, die restlichen Pilze hineingeben, die restliche Eiermasse darüber gießen, das zweite Omelett auf die gleiche Weise zubereiten die Omeletts mit
2 Eßl. feinge-schnittenem Schnittlauch	bestreuen, zusammenklappen, sofort servieren.
Beigabe:	Tomatensalat, Bauernbrot.

Brätlingsschnitzel

400 g Milch-brätlinge	gründlich putzen, sauber schaben oder in
Milch	abspülen, gut abtropfen lassen, mit
Salz	
schwarzem Pfeffer	bestreuen die Pilze in
Weizenmehl	wenden
2 Eier	verschlagen, die Pilze zunächst darin, dann in einer Mischung aus
3 Eßl. Semmel-mehl	
1 Eßl. geriebe-nem Parmesan-Käse	wenden
Fritierfett	in einer Friteuse auf 180 Grad erhitzen, die Pilze portionsweise darin 6 – 8 Minuten knusprig braun fritieren, auf Haushalts-papier abtropfen lassen.
Beigabe:	Kräuterremoulade, Weißbrot.

Sahne-Pilze

(Abb. nebenstehend)

500 g junge Edel-Reizker	gründlich putzen, sauber schaben oder in
Milch	abspülen, abtropfen lassen, große

	Pilze evtl. halbieren
1 mittelgroße Zwiebel	abziehen, würfeln
100 g Speck	in Würfel schneiden, auslassen, die Zwiebelwürfel darin glasig dünsten lassen, die Pilze hinzufügen, mit
Salz Pfeffer	würzen, in etwa 10 Minuten gar dünsten lassen
1½ Becher (225 g) Crème fraîche	unter die Pilze rühren, erhitzen, mit
geriebener Muskatnuß	abschmecken.

Sahne-Pilze zu Schweine- oder Kalbskoteletts servieren.

Austernpilz

Im Handel wird er meist als Kalbfleischpilz angeboten, dieser wildwachsende, aber auch kultivierbare große Speisepilz, der in den unterschiedlichsten Farben vorkommt — von Gelb bis Hellbraun über Grau bis Sattblau und Schieferschwarz.

Von Mitte Oktober bis Februar wächst er in Laubwäldern, in Anlagen und Gärten an toten und lebenden Laubholzstämmen und Obstbäumen im Flach- und Hügelland gleichermaßen häufig. Kultiviert wird er ganzjährig angeboten.

Der Pilz wächst in Gruppen seitlich aus dem Stiel heraus und ist muschelförmig. Er hieß früher deshalb auch Drehling, im englischen Sprachraum wird er oystermushroom, zuweilen auch Florida genannt.

In vielen überseeischen und osteuropäischen Ländern zählt er seit langem zu den begehrtesten Speisepilzen, denn er schmeckt gut, ist kernig und robust und läßt sich auf vielerlei Art zubereiten.

Das Fleisch ist vor allem beim jungen und frischen Pilz saftig, aromatisch und bißfest. Bei älteren Pilzen — auch solchen, die lange lagern — wird das Fleisch etwas zäh und kann einen leicht dumpfigen Geschmack bekommen. Dann sollte vor der Zubereitung besser die Huthaut vom Rand her abgezogen werden.

Die Hüte werden am besten in etwa messerrückendünne Scheiben geschnitten. Die Stiele sind meist zäh und werden deshalb dicht unter dem Hutansatz abgeschnitten. Feingehackt können sie für Pilzfrikadellen, Füllungen, Soßen und Suppen verwendet werden.

Im Handel angebotene Kulturarten haben oft einen weißen Belag in der Hutmitte, der aber unschädlich ist und abgewischt werden kann. Austernpilze garen länger als andere Speisepilze — 15 – 20 Minuten.

Austernpilze können auch gut getrocknet werden und zwar feingeschnitten an der Luft. Im Backofen — beim Schnelltrocknen — verlieren sie viel von ihrem charakteristischen Aroma.

Pilz-Gemüse-Auflauf

250 g junge Austernpilze	putzen, abspülen, abtropfen lassen, die Pilze in Scheiben schneiden
50 g Butter	zerlassen, die Pilzscheiben darin etwa 15 Minuten dünsten lassen
etwa 200 g gedünstete junge Erbsen etwa 200 g gedünstete Spargelspitzen	beide Zutaten zu den Pilzen geben, miterhitzen, mit
Salz geriebener Muskatnuß	würzen das Gemüse in eine gefettete feuerfeste Form geben
2 Eier 125 ml (⅛ l) Sahne	mit verschlagen, über das Gemüse gießen
80 g geriebenen Emmentaler Käse	darüber streuen die Form auf dem Rost in den vorgeheizten Backofen schieben, den Auflauf goldbraun backen lassen
Strom:	200 – 225
Gas:	4 – 5
Backzeit:	Etwa 30 Minuten.
Beilage:	Folienkartoffeln, Endiviensalat.

Austernpilz-Brote

500 g Austernpilze	putzen, abspülen, abtropfen lassen, bei größeren Pilzhüten die Haut abziehen, die Pilze in Scheiben schneiden
1 rote Zwiebel 3 Eßl. Butter	abziehen, in Scheiben schneiden zerlassen, die Zwiebelscheiben darin glasig dünsten lassen, die Pilzscheiben hinzufügen, 15 – 20 Minuten dünsten lassen, mit
Salz, Pfeffer 4 Scheiben Graubrot gesalzener Butter	würzen mit bestreichen, die gedünsteten Pilze darauf verteilen, die Austernpilz-Brote mit
feingeschnittenem Schnittlauch	bestreuen.

Salat von Austernpilzen und Grünen Bohnen

	Von
300 g jungen Grünen Bohnen (Filetbohnen)	die Enden abschneiden, die Bohnen waschen, in
wenig kochendes Salzwasser	geben, zum Kochen bringen, in

	10 – 12 Minuten gar dünsten lassen
400 g junge Austernpilze	putzen, abspülen, abtropfen lassen, die Pilze in dünne Scheiben schneiden
2 Eßl. Butter	zerlassen, die Pilzscheiben darin in etwa 20 Minuten gar dünsten lassen, mit
Salz	würzen
	für die Salatsoße
3 Eßl. Olivenöl	mit
1 Eßl. Sherry- essig	
1 Eßl. Crème fraîche	
1 Teel. Zucker	
Salz	
Pfeffer	verrühren
1 Eßl. gehackte Kerbel- blättchen	
1 Eßl. gehackte Estragon- blättchen	unterrühren die Salatsoße mit den Salatzutaten vorsichtig vermengen, den Salat kurz durchziehen lassen.

Kaninchen mit Austernpilzen

500 g Austern- pilze	putzen, abspülen, abtropfen lassen, bei größeren Pilzhüten die Haut abziehen, die Pilze in Scheiben schneiden

750 g Kanin- chenfleisch (Rücken, Keulen)	waschen, abtrocknen, das Fleisch von den Knochen lösen, in Würfel schneiden
80 g Margarine	erhitzen, die Fleischwürfel darin von allen Seiten anbraten
1 Zwiebel	
1 Knoblauch- zehe	beide Zutaten abziehen, fein würfeln, zu dem Fleisch geben, mitbraten lassen, mit
Salz	
Pfeffer	würzen
1 Eßl. gehackte Thymian- blättchen	hinzufügen etwas von
500 ml (½ l) Fleischbrühe	hinzugießen, das Fleisch etwa 45 Minuten schmoren lassen, verdampfte Flüssigkeit nach und nach ersetzen, die Pilzscheiben hinzufügen, etwa 20 Minuten mitschmoren lassen
1 Eßl. Weizen- mehl	mit
150 g saurer Sahne	anrühren, die Schmorflüssigkeit damit binden, die Soße mit Salz, Pfeffer abschmecken.
Beilage:	Kartoffelklöße, Preiselbeeren.

Blätterteigpastete mit Pilzfüllung

Für den Teig
die 3 Teigplatten aus

1 Packung (300 g) tiefgefrorenen Blätterteig
nebeneinanderlegen, auftauen lassen

für die Füllung

750 g Austernpilze
putzen, abspülen, abtropfen lassen, bei größeren Pilzhüten die Haut abziehen, die Pilze in dünne Scheiben schneiden

1 Zwiebel
1 Knoblauchzehe
beide Zutaten abziehen, fein würfeln

50 g Butter
zerlassen, die Zwiebel- und Knoblauchwürfel darin glasig dünsten lassen, die Pilzscheiben hinzufügen, in etwa 15 Minuten gar dünsten lassen

200 g gekochten Schinken
in Würfel schneiden, zu den Pilzen geben, miterhitzen

1 Becher (150 g) Crème fraîche
unterrühren, die Pilz-Schinken-Masse mit

Salz
Pfeffer
würzen
2 Blätterteigplatten aufeinanderlegen, zu einer runden Platte

(Durchmesser etwa 30 cm) ausrollen, den Teig auf den umgedrehten Boden einer Springform (Durchmesser etwa 26 cm) legen, den Springformrand darum geben, den Teig am Springformrand etwas hochdrücken
die Füllung darauf verteilen, mit

1 Eßl. gehackter Petersilie
bestreuen
den Teigrand nach innen auf die Füllung umklappen, mit Wasser bestreichen
die dritte Teigplatte in der Größe des Springformbodens ausrollen, mehrere 1 – 2 cm große Löcher ausstechen, die Teigplatte auf die Füllung legen, gut andrücken
aus den Blätterteigresten kleine Dreiecke ausstechen, die Pastete damit garnieren

1 Eigelb
1 Eßl. Milch
mit
verschlagen, die Pastetenoberfläche damit bestreichen
die Form auf dem Rost in den vorgeheizten Backofen schieben

Strom: 200 – 225
Gas: 4 – 5
Backzeit: Etwa 30 Minuten.

Veränderung: Die Austernpilzfüllung in fertig gekaufte Pasteten füllen.

Kohlrouladen mit Austernpilzfüllung

	Von
1 Kopf Weiß-kohl	den Strunk herausschneiden, den Kohlkopf in
kochendes Salzwasser	geben, bis sich die äußeren Blätter lösen, diesen Vorgang wiederholen, bis etwa 12 große Blätter gelöst sind, die Kohlblätter in die Kochflüssigkeit geben, zum Kochen bringen, halbgar kochen, abtropfen lassen, die Koch-flüssigkeit aufbewahren die dicken Blattrippen flach-schneiden
	für die Füllung
400 g Austern-pilze	putzen, abspülen, abtropfen lassen, bei größeren Pilzhüten die Haut abziehen, die Pilze in Scheiben schneiden oder kleinhacken
200 g durch-wachsenen Speck	in Würfel schneiden
1 Eßl. Butter	zerlassen, die Speckwürfel darin ausbraten
1 Zwiebel	abziehen, fein würfeln, in dem Speckfett glasig dünsten lassen, die Pilze hinzufügen, in etwa 15 Minuten gar dünsten lassen, mit
Salz Pfeffer	würzen, erkalten lassen

1 Ei	verschlagen, unter die Pilzmasse rühren jeweils 2 – 3 Kohlblätter übereinanderlegen, einen Teil der Füllung darauf verteilen, die Kohlblätter aufrollen, die Rouladen mit Küchengarn umwickeln oder mit Rouladennadeln zusammen-halten
75 g Butter oder Margarine	erhitzen, die Kohlrouladen von allen Seiten gut darin bräunen etwas von
375 ml (⅜ l) Kochflüssigkeit	hinzugießen, die Kohlrouladen schmoren lassen, von Zeit zu Zeit wenden, verdampfte Flüssigkeit nach und nach ersetzen die Kohlrouladen in etwa 30 Minuten gar schmoren lassen, herausnehmen, vom Küchengarn (Rouladennadeln) befreien, die Rouladen warm stellen
1 Teel. Weizen-mehl oder Speisestärke	mit
3 Eßl. Sahne	anrühren, die Schmorflüssigkeit damit binden, die Soße mit
Salz	abschmecken.
Beilage:	Salzkartoffeln.

Austernpilzpüree

500 g Austern-pilze	putzen, abspülen, abtropfen lassen, bei größeren Pilzhüten die Haut abziehen, die Pilze in Scheiben schneiden
2 Schalotten	abziehen, fein würfeln
50 g Butter	zerlassen, die Schalottenwürfel darin glasig dünsten lassen, die Pilzscheiben hinzufügen, in etwa 20 Minuten gar dünsten lassen, bis die Flüssigkeit verdampft ist
1 Eßl. gehackte Kerbelblättchen	hinzufügen, die Pilzscheiben pürieren
2 Eßl. Crème fraîche	unterrühren das Pilzpüree erhitzen, mit
Salz Pfeffer	würzen.
Beilage:	Lammkoteletts.

Pilz-Paprika-Gemüse

400 g Austern-pilze	putzen, abspülen, abtropfen lassen, bei größeren Pilzhüten die Haut abziehen, die Pilze in dünne Scheiben schneiden
3 grüne Paprikaschoten (etwa 300 g)	halbieren, entstielen, entkernen, die weißen Scheidewände entfernen, die Schoten waschen, in feine Streifen schneiden
200 g durch-wachsenen Speck	in kleine Würfel schneiden
1 Teel. Butter	erhitzen, die Speckwürfel darin ausbraten
2 Zwiebeln	abziehen, fein würfeln, in dem Speckfett glasig dünsten lassen, die Pilzscheiben, die Paprika-streifen hinzufügen, etwa 5 Minuten mitdünsten lassen
250 ml (¼ l) Fleischbrühe	hinzugießen, zum Kochen bringen
1 mittelgroße Kartoffel	schälen, waschen, reiben, hinzufügen, das Gemüse in etwa 15 Minuten gar dünsten lassen, mit
Salz Pfeffer	würzen
1 Eßl. gehackte Petersilie	über das Pilz-Paprika-Gemüse streuen.
Beilage:	Reis.

Pfifferling

Er ist der wohl bekannteste Speisepilz überhaupt. Der Pfifferling wächst in Laub-, Nadel- und Mischwäldern auf Wiesen und Weiden, an Wegrändern und in Fichtenschonungen. Zuweilen erscheint er schon im Mai; richtig häufig wird er aber erst ab Juli und wächst dann bis in den November hinein.

Ob es an seiner schönen gelben Farbe liegt oder an dem charakteristischen pfeffrig-süßen Geschmack, oder daran, daß er kaum verwechselt werden kann (der gefürchtete Falsche Pfifferling ist ein harmloser und ebenfalls eßbarer Doppelgänger) – der Pfifferling zählt seit Jahrhunderten zu den beliebtesten und begehrtesten Pilzen der deftigen wie der feinen Küche.

Der Volksmund hat ihm viele Namen gegeben, wie Eierschwamm, Reherl, Geelchen, Röllchen oder Marillenschwamm.

Der Geschmack des Pilzes erinnert an Aprikosen; der ältere Pilz schmeckt zuweilen recht pfeffrig-bitter. Das feste Fleisch ist eigentlich immer madenfrei, haltbar und in Hut und Stiel von gleicher Qualität.

Der Pfifferling ist besonders schwer verdaulich. Deshalb sollte er nicht als Abendmahlzeit genossen werden.

Beim Einfrieren wird er zäh; getrocknet ebenfalls. Bei einem größeren Vorrat empfiehlt es sich, die Pilze nach althergebrachter Weise einzuwecken.

Um Großstädte herum und in Ballungsgebieten ist der Pfifferling übrigens fast ausgestorben, so daß er auch im Handel recht teuer geworden ist. Preiswerter sind konservierte Pfifferlinge, die schmackhaft zubereitet werden können, wenn sie ungemischt und ungesalzen abgefüllt sind.

Bei anderen konservierten Pilzen muß mit erheblichen Geschmackseinbußen gerechnet werden.

Fleisch-Pfifferlings-Topf

600 g Rindfleisch (ohne Knochen)	waschen, abtrocknen, in kleine Würfel schneiden
1 große Zwiebel	abziehen, fein würfeln
150 g durchwachsenen Speck	in etwa ½ cm breite Streifen schneiden, auslassen, die Speckstreifen herausnehmen, beiseite stellen die Rindfleischwürfel in dem Speckfett von allen Seiten gut anbraten, die Zwiebelwürfel hinzufügen, mitbräunen lassen
250 ml (¼ l) Fleischbrühe Salz, Pfeffer	hinzugießen, das Fleisch mit würzen, etwa 1 Stunde schmoren lassen
250 g Pfifferlinge	putzen, abspülen, abtropfen lassen
2 Tomaten	kurze Zeit in kochendes Wasser legen (nicht kochen lassen), in kaltem Wasser abschrecken, enthäuten, die Stengelansätze entfernen, die Tomaten in Würfel schneiden
2 Paprikaschoten	halbieren, entstielen, entkernen, die weißen Scheidewände entfernen, die Schoten waschen, in Streifen schneiden die 3 Zutaten mit
125 ml (⅛ l) trockenem Weißwein	zu dem Fleisch geben, 15 – 20 Minuten mitschmoren lassen
1 Eßl. Weizenmehl	mit
½ Becher (75 g) Crème fraîche	anrühren, die Schmorflüssigkeit damit binden, die ausgelassenen Speckstreifen unterrühren, miterhitzen, den Fleisch-Pfifferlings-Topf mit Salz, Pfeffer abschmecken.
Beilage:	Reis oder Kartoffelpüree.

Pfifferlingspörkölt

500 g Pfifferlinge	putzen, abspülen, abtropfen lassen, kleine Pilze ganz lassen, große halbieren oder vierteln
2 große Zwiebeln	abziehen, fein würfeln
1 Eßl. Schweineschmalz	zerlassen, die Zwiebelwürfel darin glasig dünsten lassen
2 Teel. Paprika edelsüß	unterrühren die Pilze hinzufügen, zugedeckt in etwa 15 Minuten gar dünsten lassen
1 Becher (150 g) Crème fraîche	unterrühren das Pfifferlingspörkölt mit
Salz	würzen.
Beilage:	Spätzle.

Schweinepfeffer mit Pfifferlingen

500g Schweine-schulter (ohne Schwarte)	waschen, abtrocknen, in große Würfel schneiden, das fette Fleisch sehr klein schneiden
50 g durch-wachsenen Speck	in Würfel schneiden, mit dem kleingeschnittenen fetten Schweinefleisch auslassen, die Speckwürfel aus dem Fett nehmen, beiseite stellen
1 große Zwiebel 2 Knoblauch-zehen	abziehen
	beide Zutaten abziehen, fein würfeln das Speckfett erhitzen, die Fleischwürfel von allen Seiten darin braun braten lassen, die Zwiebel- und Knoblauchwürfel hinzufügen, mitbräunen lassen
375 ml (⅜ l) Fleischbrühe Salz Pfeffer 1 Eßl. gehackte Thymian-blättchen	hinzugießen, das Fleisch mit würzen unterrühren, das Fleisch 50 – 60 Minuten schmoren lassen
300 g Pfiffer-linge	putzen, abspülen, abtropfen lassen, kleine Pilze ganz lassen, große halbieren, zu dem Fleisch geben, etwa 15 Minuten mitschmoren lassen
1 Eßl. Speise-stärke 4 Eßl. Wasser	mit anrühren, die Schmorflüssigkeit damit binden, die Speckwürfel hinzufügen, erhitzen, den Schweinepfeffer mit Salz, Pfeffer abschmecken.

Pfifferlingssuppe mit Kerbel

250 g Pfiffer-linge	putzen, abspülen, abtropfen lassen, evtl. kleinschneiden, in
1¼ l kochende Fleischbrühe	geben, zum Kochen bringen, etwa 20 Minuten kochen lassen, die Pilze aus der Brühe nehmen, beiseite stellen
30 g Butter 1 Eßl. Weizen-mehl	zerlassen unter Rühren so lange darin erhitzen, bis es hellgelb ist die Pilzbrühe hinzugießen, mit einem Schneebesen durch-schlagen, darauf achten, daß keine Klumpen entstehen, die Suppe zum Kochen bringen, etwa 10 Minuten kochen lassen, die Pfifferlinge hinzufügen, erhitzen
2 Eigelb 3 Eßl. Crème fraîche	mit verschlagen, die Suppe damit legieren, mit
Salz, Pfeffer 2 Eßl. gehackte Kerbel-blättchen	würzen darüber streuen.

Pfifferlingspilaw mit Scampi

(Abb. nebenstehend)

300 g Pfifferlinge **100 g Champignons**	die Pilze putzen, abspülen, abtropfen lassen, evtl. halbieren
1 große Zwiebel	abziehen, fein würfeln
1 – 2 Eßl. Butter	zerlassen, die Zwiebelwürfel darin glasig dünsten lassen
250 g Langkornreis	hinzufügen, unter Rühren hellgelb werden lassen
500 ml (½ l) heiße Fleischbrühe	hinzugießen, zum Kochen bringen, den Reis in etwa 25 Minuten ausquellen lassen
1 – 2 Eßl. Butter	in einer Pfanne zerlassen, die vorbereiteten Pilze darin anbraten, mit
Salz **Pfeffer**	würzen
6 Eßl. Weißwein **6 Eßl. Weinbrand**	hinzufügen, die Pilze in etwa 15 Minuten gar dünsten lassen, mit dem garen Reis vermengen
200 g gepulte Scampi	unter fließendem kaltem Wasser abspülen, abtropfen lassen, vorsichtig unter das Pfifferlingspilaw mengen, die Scampi miterhitzen

3 – 4 Eßl. Sahne 2 Eßl. geriebe- nen Parmesan- Käse	unterühren das Pilaw evtl. mit Salz, Pfeffer abschmecken, mit
1 – 2 Eßl. gehackter Petersilie	bestreuen.

Pfifferlinge, überbacken

400 g Pfiffer- linge	putzen, abspülen, abtropfen lassen, evtl. kleinschneiden
1 rote Zwiebel	abziehen, fein würfeln
3 Eßl. Butter	zerlassen, die Zwiebelwürfel darin glasig dünsten lassen, die Pilze hinzufügen, in etwa 15 Minuten gar dünsten lassen, mit
Salz schwarzem Pfeffer	würzen
4 Scheiben Graubrot Butter	mit bestreichen, die gedünsteten Pilze darauf verteilen, mit
1 Eßl. geriebe- nem Parmesan- Käse	bestreuen die Brote auf den Grillrost legen, unter den vorgeheizten Grill schieben, etwa 5 Minuten überbacken lassen, bis der Käse geschmolzen ist, mit
Petersilie	garniert servieren.

Pfifferlinge auf Blattspinat

400 g junge Pfifferlinge	putzen, abspülen, abtropfen lassen
3 Eßl. Butter	zerlassen, die Pfifferlinge darin in etwa 15 Minuten gar dünsten lassen, mit
Salz **Pfeffer**	würzen
1 Becher (150 g) Crème fraîche	unterrühren, erhitzen, die Pfifferlinge warm stellen
400 g Spinat	sorgfältig verlesen, gründlich waschen, tropfnaß in einen Topf geben, zugedeckt dünsten lassen, bis die Blätter zusammenfallen, abtropfen lassen
1 Knoblauchzehe	abziehen
2 Eßl. Butter	zerlassen, den Spinat, die Knoblauchzehe darin 3 – 5 Minuten dünsten lassen, die Knoblauchzehe entfernen den Spinat mit
Salz **Pfeffer**	würzen, in eine vorgewärmte Schüssel geben, die Pfifferlinge darauf anrichten.

Hirschragout mit Pfifferlingen

(Abb. nebenstehend)

600 g Hirschfleisch (aus der Schulter ohne Knochen)	waschen, abtrocknen, enthäuten, in Würfel schneiden
150 g durchwachsenen Speck	in kleine Würfel schneiden
2 Eßl. Pflanzenfett	zerlassen, den Speck darin ausbraten, das Fleisch von allen Seiten darin gut anbraten
4 mittelgroße Zwiebeln	abziehen, würfeln, mitbräunen lassen das Fleisch mit
Salz **Pfeffer**	würzen
10 Wacholderbeeren **5 Pimentkörner** **1 Nelke** **1 Lorbeerblatt** **1 Eßl. gehackte Thymianblättchen**	hinzufügen etwas von
500 ml (½ l) heißem Wasser	hinzugießen, das Fleisch 2 – 2¼ Stunden schmoren lassen, verdampfte Flüssigkeit nach und nach ersetzen

300 g Pfiffer-linge	putzen, abspülen, abtropfen lassen, zu dem Hirschfleisch geben, etwa 15 Minuten mitschmoren lassen
3 gestrichene Eßl. Weizen-mehl	mit
4 Eßl. Rotwein	anrühren, das Ragout damit

| Johannisbeer-gelee | binden, mit Salz, Pfeffer, abschmecken. |
| Beilage: | Kartoffelkroketten, Rosenkohl. |

Hirschsteaks mit Pfifferlingen

400 g Pfifferlinge	putzen, abspülen, abtropfen lassen, große Pilze halbieren oder vierteln
3 Eßl. Butter	zerlassen, die Pilze darin in etwa 15 Minuten gar dünsten lassen, mit
Salz **Pfeffer**	würzen, warm stellen
4 Scheiben Hirschfilet (je etwa 150 g, 2 cm dick)	leicht flachklopfen
2 Eßl. Butterschmalz	erhitzen, das Fleisch darin von jeder Seite etwa 3 Minuten braten, mit
Salz **Pfeffer**	würzen, das Fleisch herausnehmen, warm stellen den Bratensatz mit
125 ml (⅛ l) Fleischbrühe	loskochen
125 ml (⅛ l) trockenen Rotwein (Burgunder)	hinzugießen, die Bratenflüssigkeit auf etwa die Hälfte einkochen lassen
1 Becher (150 g) Crème fraîche	mit
1 Eßl. Johannisbeergelee	verrühren, in die Soße rühren, erhitzen, mit Salz, Pfeffer abschmecken

die Hirschsteaks mit den Pfifferlingen auf einer vorgewärmten Platte anrichten, die Soße dazu reichen.

Beilage:	Speckböhnchen.

Reistopf mit Pfifferlingen und Krabben

250 g Pfifferlinge	putzen, abspülen, abtropfen lassen
1 Zwiebel	abziehen, fein würfeln
4 Eßl. Butter	zerlassen, die Zwiebelwürfel darin glasig dünsten lassen, die Pfifferlinge,
250 g Langkornreis	hinzufügen, unter Rühren etwa 5 Minuten darin dünsten lassen
250 – 500 ml (¼ – ½ l) heiße Fleischbrühe	hinzugießen, mit
Salz **Pfeffer**	würzen, zum Kochen bringen, zugedeckt in etwa 20 Minuten garen lassen
100 g gekochtes Hühnerfleisch (ohne Knochen und Haut)	in Würfel schneiden
150 g frische gepulte Krabben	

50 g gehackte Walnußkerne
die 3 Zutaten unter den Pilzreis rühren, miterhitzen
den Reistopf evtl. mit Salz, Pfeffer abschmecken.

Beigabe: Paprika-Tomaten-Salat.

Pfifferlinge mit Speck

(Abb. nebenstehend)

400 g Pfifferlinge
putzen, abspülen, abtropfen lassen

50 g durchwachsenen Speck
in kleine Würfel schneiden, in einer Pfanne auslassen, die Pilze hinzufügen, unter häufigem Schütteln der Pfanne etwa 15 Minuten braten lassen, mit

Salz schwarzem Pfeffer
würzen

1 Eßl. gehackte Kräuter (Petersilie, Schnittlauch, Pimpinelle)
darüber streuen.

Beigabe: Toast mit Butter.

Totentrompete, Herbsttrompete

Von August bis in den November hinein wachsen auf feuchtem Grund in Buchen- und Eichenwäldern die Totentrompeten oft so massenhaft, daß sie beinahe gemäht werden könnten.

Ihren nicht gerade einladenden Namen verdankt sie ihrem düsteren Aussehen, nicht ihrem Speisewert. Sie gehört nämlich zu den besten Pilzen unserer Wälder und ist zudem mit ungenießbaren oder gar giftigen Pilzen aufgrund ihres charakteristischen Erscheinungsbildes nicht zu verwechseln.

Totentrompeten sind standorttreu und wachsen oft viele Jahre an derselben Stelle. Geerntet werden sie bei trockenem Wetter. Nasse Pilze haben nur wenig Aroma, das sich beim Trocknen nicht mehr richtig entwickelt. Und gerade die getrocknete Totentrompete gilt als einer der delikatesten Pilze überhaupt!

Sie ist aber auch frisch ein ausgezeichneter Speisepilz. Die unteren Stielenden werden abgeschnitten, weil sie oft naß und lappig sind, und der Pilz wird dann im Ganzen verwendet.

Sicher können die Pilze auch für Mischgerichte verwendet werden, am besten sind sie jedoch allein gegart.

Vom Einfrieren ist abzuraten. Totentrompeten werden dann leicht zäh.

Pilzpulver aus Totentrompeten wird seit Jahrhunderten in der Küche verwendet. Es werden damit Pilzgerichte, Soßen, Suppen, Füllungen für Fleisch- und Fischgerichte, Butter und Wurst verfeinert.

Das Aroma der getrockneten Pilze hält sich jahrelang, wenn sie gut verschlossen in Gläsern aufbewahrt werden. Da sie Gerichte dunkel färben, können sie für helle Soßen nicht verwendet werden.

Pilzsoße Wiener Art

Von

500 g Toten- **trompeten**	die unteren Stielenden abschneiden, die Pilze abspülen, abtropfen lassen, kleinschneiden
1 Bund Suppen- **grün**	putzen, waschen, grob zerkleinern
500 ml (½ l) **Wasser**	zum Kochen bringen, die Pilze, das Suppengrün hinzufügen, zum Kochen bringen, etwa 30 Minuten kochen lassen die Gemüsebrühe durch ein Sieb gießen, beiseite stellen, Pilzstücke und Suppengrün pürieren
2 Schalotten **1 Eßl. Schweine-** **schmalz**	abziehen, fein würfeln zerlassen, die Schalottenwürfel darin glasig dünsten lassen
1½ Eßl. **Weizenmehl**	unter Rühren darin erhitzen, bis es hellgelb ist die Gemüsebrühe hinzugießen, mit einem Schneebesen durchschlagen, darauf achten, daß keine Klumpen entstehen, das Gemüsepüree hinzufügen, zum Kochen bringen
10 zerdrückte **Pfefferkörner** **1 zerdrückte** **Nelke** **1 Eßl. Estragon-** **Essig** **Salz** **Zucker**	 unterrühren, mit würzen
1 Teel. gehack- **te Salbei-**	

blättchen **1 Teel. gehack-** **te Thymian-** **blättchen**	unterrühren, die Pilzsoße zum Kochen bringen, etwa 5 Minuten kochen lassen.
Beilage:	Semmelknödel.

Kalbsgeschnetzeltes mit Totentrompeten

Von

300 g Toten- **trompeten**	die unteren Stielenden abschneiden, die Pilze abspülen, abtropfen lassen
500 g Kalb- **fleisch** **(aus der Keule)**	waschen, abtrocknen, zunächst in dünne kleine Scheiben, dann in Streifen schneiden
3 Schalotten **50 g Butter**	abziehen, fein würfeln zerlassen, die Schalottenwürfel darin glasig dünsten lassen
1 Teel. Curry- **pulver**	unterrühren die Fleischstreifen hinzufügen, unter Rühren etwa 5 Minuten braten lassen, die Pilze hinzufügen, in etwa 10 Minuten gar schmoren lassen
125 ml (⅛ l) **Sahne**	unterrühren, aufkochen lassen, das Kalbsgeschnetzelte mit
Salz	abschmecken.

Tomatensuppe mit Totentrompeten

Von

300 g Totentrompeten die unteren Stielenden abschneiden, die Pilze abspülen, gut abtropfen lassen

30 g Butter zerlassen, die Pilze darin etwa 10 Minuten dünsten lassen

1 Teel. Weizenmehl unter Rühren darin erhitzen, bis es hellgelb ist

1 Eßl. Tomatenmark (aus der Tube) unterrühren

1 l heiße Fleischbrühe hinzugießen, gut verrühren, darauf achten, daß keine Klumpen entstehen, zum Kochen bringen, die Suppe etwa 10 Minuten kochen lassen

½ Becher (75 g) Crème fraîche unterrühren
die Suppe mit

Salz
Pfeffer würzen
1 Teel. gehackte Thymianblättchen unterrühren.

Salat von Tomaten und Totentrompeten

Von

200 g Totentrompeten die unteren Stielenden abschneiden, die Pilze abspülen, abtropfen lassen

1 Eßl. Butter erhitzen, die Pilze darin etwa 8 Minuten dünsten lassen, mit
Salz würzen
2 Fleischtomaten waschen, abtrocknen, die Tomaten halbieren, die Stengelansätze entfernen, die Tomaten in dünne Scheiben schneiden

für die Salatsoße

1 Schalotte abziehen, fein würfeln, mit
3 Eßl. Walnußöl
1 Eßl. Sherryessig
½ Teel. Zucker
Salz
Pfeffer verrühren
10 Walnußkerne hacken, unterrühren
eine flache Salatschüssel mit den Tomatenscheiben auslegen, die Pilze darauf geben, die Salatsoße darüber gießen, mit

1 Eßl. gehackten Basilikumblättchen bestreuen.

Boviste

Wer kennt sie nicht, die weißen Boviste, auch Staubpilze genannt, deren charakteristisches Aussehen so ganz anders ist als man es von Pilzen sonst kennt!

Häufig stehen sie in Gruppen eng beieinander, selten wachsen sie nur einzeln oder an Baumstümpfen. Die größten können 50 cm hoch werden (Riesenbovist), die meisten Arten werden jedoch 4 – 5 cm groß. Gewöhnlich sind sie kugelig oder birnenförmig mit einem schwach ausgebildeten Stiel.

Eines haben sie alle gemeinsam: solange das Fleisch innen reinweiß ist, sind sie eßbar.

Trotzdem genießen sie bei vielen Sammlern kein hohes Ansehen. Das mag mit daran liegen, daß der Bovist oft falsch zubereitet wird. Er ist kein Mischpilz und wird beim Dünsten zäh. Der Bovist kann nur gebraten oder gebacken werden, doch dann wird er delikat. Wichtig ist dabei, daß zumindest zu Beginn des Bratvorgangs die Bovistscheiben auf dem Pfannenboden aufliegen und nicht in mehreren Lagen eingeschichtet sind.

Sehr große Boviste werden geschält oder geschabt, bei kleineren kann evtl. die Haut abgerubbelt werden.

Von Insekten werden Boviste verschont, so daß nur die Fraßstellen von Schnecken und anderen Waldtieren wegzuschneiden sind.

Dem ungeübten Sammler wird allerdings empfohlen, unbedingt jeden Pilz einmal von unten nach oben aufzuschneiden, damit er sicher geht, daß er nicht den ähnlich aussehenden Wulstling gesammelt hat.

Boviste sollten immer am Sammeltag gegessen werden. Sie reifen nach, färben sich innen zuerst gelblich, werden dann feucht-schmierig, trocknen aus und sind schließlich mit dunklem Sporenstaub gefüllt.

Die Sporen des reifen Pilzes wurden schon im Mittelalter gegen allerlei Leiden verwendet; in der modernen Homöopathie haben sie auch heute noch Bedeutung bei Anämie, Hautleiden und anderen Krankheiten.

Fritierte Boviste

400 g Flaschen-boviste	putzen, die Haut evtl. abschaben, falls nötig, die Pilze in
Milch	abspülen, gut abtropfen lassen, in etwa 1 cm dicke Scheiben schneiden

für den Teig

100 g Weizen-mehl	in eine Schüssel sieben, in die Mitte eine Vertiefung eindrücken
2 Eier	mit
125 ml (⅛ l) Milch	
Salz	verschlagen, etwas davon in die Vertiefung geben, von der Mitte aus Eiermilch und Mehl verrühren, nach und nach die übrige Eiermilch hinzufügen, darauf achten, daß keine Klumpen entstehen die Bovistscheiben einzeln in den Teig tauchen
Fritierfett	in einer Friteuse auf 180 Grad erhitzen die Pilzscheiben portionsweise darin in 2 – 3 Minuten goldgelb fritieren, auf Haushaltspapier abtropfen lassen.
Beigabe:	Radicchiosalat.

Beamten-Kotelett

500 g Riesen-boviste	putzen, die Haut abschälen, die Pilze in dicke Scheiben schneiden
2 Knoblauch-zehen	abziehen, würfeln, mit
1 Teel. Salz	in einem Mörser zerstoßen die Pilzscheiben mit der Masse bestreichen, etwa 5 Minuten stehenlassen die Pilzscheiben zuerst in
Weizenmehl	dann in
1 verschlage-nen Ei	zuletzt in
Semmelmehl	wenden
Fritierfett	in einer Friteuse auf etwa 180 Grad erhitzen, die Pilzscheiben portionsweise darin goldbraun fritieren, auf Haushaltspapier abtropfen lassen.
Beigabe:	Kartoffelsalat.

Boviste, gebraten

400 g junge Eierboviste **Milch**	putzen, falls nötig in abspülen, abtropfen lassen, in etwa 1 cm dicke Scheiben schneiden
2 Eßl. Butter	in einer großen Pfanne zerlassen, die Pilzscheiben nebeneinander hineinlegen (evtl. in 2 Portionen braten), bei starker Hitze von beiden Seiten 3 – 4 Minuten braten lassen, mit
geriebener Muskatnuß Kümmel Salz	würzen.

Boviste in Sahne

400 g Eierboviste **Milch**	putzen, die Haut evtl. abschaben, falls nötig, die Pilze in abspülen, gut abtropfen lassen, in Scheiben schneiden
3 Eßl. Butter	in einer großen Pfanne zerlassen, die Pilzscheiben nebeneinander hineinlegen (evtl. in 2 Portionen braten), bei starker Hitze von beiden Seiten anbraten
1 Knoblauchzehe	abziehen, fein würfeln, hinzufügen, die Pilze in etwa 5 Minuten gar dünsten lassen
1 Becher (150 g) Crème fraîche	unterrühren, aufkochen lassen, mit
Salz Pfeffer	würzen, mit
1 Eßl. gehackter Petersilie	bestreuen.
Beilage:	Möhrenpüree.

Morcheln

Neben Steinpilzen, Champignons, Pfifferlingen und Trüffeln gehören Morcheln zu den klassischen Speisepilzen der Kochkunst.

Sie wachsen im Frühjahr — in der einst gemüsearmen Zeit — schmecken vorzüglich und sind gebietsweise recht zahlreich vertreten.

Es wird immer wieder von Kulturerfolgen bei Morcheln geschrieben. Leider wurden bisher nennenswerte Ergebnisse noch nicht erzielt; gewisse Erfolge waren stets mehr oder weniger zufällig und wiederholten sich nicht.

Am begehrtesten sind die runden Speisemorcheln, die spitzen Arten stehen ihnen jedoch an Wohlgeschmack nicht nach.

Morcheln scheinen übrigens nicht jedem bekömmlich zu sein. Es ist deshalb ratsam, beim ersten Morchelgenuß mit einer kleinen Portion die persönliche Verträglichkeit zu prüfen. Es ist außerdem empfehlenswert, Morcheln immer einmal aufzukochen und das Kochwasser wegzuschütten. Roh dürfen sie nicht gegessen werden.

Beim Kauf von Morcheln ist darauf zu achten, daß die Pilze nicht weich und wäßrig sind und daß die Waben keine glasigen Ränder haben.

Morcheln sind sorgfältig zu reinigen, da sich in den vielen Höhlungen Insekten und Schmutz verbergen können. Entweder werden die Pilze deshalb in feine Scheiben geschnitten und in wenig Wasser gereinigt (vielleicht sogar nur mit einem Tuch oder einem Pinsel) oder mehrmals gründlich abgespült, dann abgetropft und in dünne Scheiben geschnitten.

So vorbereitet garen Morcheln schnell, es genügen oft schon etwa 5 Minuten. Sehr gut schmecken sie in Verbindung mit Madeira, Sherry, Rotwein oder Sahne.

Morchelcreme mit Gewürztraminer

150 g Morcheln	putzen, mehrmals gründlich abspülen, in
kochendes Salzwasser	geben, einmal aufkochen, abtropfen lassen, in dünne Scheiben schneiden
¼ Stange Porree	längs halbieren, in feine Streifen schneiden, gründlich waschen
2 Schalotten	abziehen, fein würfeln
50 g Butter	zerlassen, die Porreestreifen und Schalottenwürfel darin kurz andünsten, die Morchelscheiben hinzufügen, 5–8 Minuten dünsten lassen
250 ml (¼ l) Gewürztraminer	
500 ml (½ l) Fleischbrühe	hinzugießen, zum Kochen bringen, die Flüssigkeit um etwa ⅓ einkochen lassen, durch ein Sieb gießen, Morcheln und Gemüse pürieren, die Flüssigkeit wieder hinzufügen
1 Becher (150 g) Crème fraîche	mit
125 ml (⅛ l) Sahne	verschlagen, in die Suppe rühren, aufkochen lassen, mit
Salz weißem Pfeffer	würzen.

Morcheln, italienisch

500 g Morcheln	putzen, mehrmals gründlich abspülen, in
kochendes Salzwasser	geben, einmal aufkochen, abtropfen lassen, in Scheiben schneiden
2 Schalotten	abziehen, fein würfeln
5 Eßl. Olivenöl	erhitzen, die Schalottenwürfel darin glasig dünsten lassen, die Morchelscheiben hinzufügen, etwa 15 Minuten dünsten lassen
125 ml (⅛ l) trockenen Weißwein	hinzugießen, aufkochen lassen, mit
Salz weißem Pfeffer Zucker	würzen
½ Teel. gehackte Estragonblättchen	
1 Teel. gehackte Kerbelblättchen	
1 Teel. gehackte Pimpinelleblättchen	
1 Teel. feingeschnittenen Schnittlauch	unterrühren
50 g kalte Butter	hinzufügen, die Morcheln sofort servieren.
Beigabe:	Zwiebelbrot.

Morcheln mit Kalbshirn

300 g Kalbshirn	so lange wässern, bis das Blut ausgezogen ist das Hirn von Haut und Adern befreien, mit
Zitronensaft **500 ml (½ l)** **kochendes** **Salzwasser**	in geben, zum Kochen bringen, das Hirn in etwa 5 Minuten gar ziehen, abtropfen lassen, in Stücke schneiden
2 Eßl. Butter	zerlassen, die Hirnstücke darin 3 Minuten dünsten lassen, mit
Pfeffer	evtl.
Salz	würzen, warm stellen
300 g Morcheln	putzen, mehrmals gründlich abspülen, in
kochendes **Salzwasser**	geben, einmal aufkochen, abtropfen lassen, in dünne Scheiben schneiden
1 Schalotte	abziehen, fein würfeln
2 Eßl. Butter	zerlassen, die Schalottenwürfel darin glasig dünsten lassen, die Morchelscheiben hinzufügen, etwa 8 Minuten dünsten lassen, mit
Salz **weißem Pfeffer**	würzen
2 Eßl. trocke- **nen Sherry** **1 Becher** **(150 g) Crème** **fraîche**	unterrühren, die gedünsteten Kalbshirnstücke hinzufügen,
1 Eßl. gehackte **Estragon-** **blättchen**	erhitzen darüber streuen.

Wiener Morcheln

500 g Morcheln	putzen, mehrmals gründlich abspülen, abtropfen lassen, längs halbieren, in
250 ml (¼ l) **kochendes** **Salzwasser**	geben, zum Kochen bringen, etwa 3 Minuten kochen, abtropfen lassen
100 g Weizen- **mehl** **½ Teel.** **Pfeffer**	mit mischen, die Morchelhälften darin wenden
4 Scheiben **Weißbrot** **50 g fein** **gehackten** **Mandeln**	entrinden, fein zerbröckeln, mit mischen die Morchelhälften zuerst in
2 verschlage- **nen Eiern**	dann in der Weißbrot-Mandel-Mischung wenden die Panade gut andrücken
Speiseöl	in einer Pfanne erhitzen, die Morchelhälften darin in 3 – 4 Minuten von beiden Seiten knusprig braun braten.
Beigabe:	Frisée-Salat.

Morchel-Frikassee

(Abb. nebenstehend)

500 g Spargel	sorgfältig von oben nach unten schälen, die unteren Enden abschneiden, den Spargel waschen, in Stücke schneiden
500 ml (½ l) Wasser	mit
Salz	
Zucker	zum Kochen bringen, die Spargelstücke hinzufügen, zum Kochen bringen, in etwa 15 Minuten gar kochen, abtropfen lassen, die Spargelflüssigkeit auffangen, 250 ml (¼ l) davon abmessen
6 Flußkrebse	gründlich unter fließendem kaltem Wasser bürsten
1 Bund Dill	vorsichtig abspülen, abtropfen lassen, in
1½ l Salzwasser	geben, zum Kochen bringen, etwa 5 Minuten kochen lassen, 2 Krebse mit dem Kopf zuerst hineingeben, zum Kochen bringen, paarweise nach und nach die anderen Krebse hinzufügen, bei jeder Partie das Wasser immer wieder zum Kochen bringen, den Vorgang so lange wiederholen, bis alle Krebse im Sud sind, etwa 10 Minuten kochen lassen die Krebse herausnehmen, 1 Krebs zur Garnierung zurücklassen, das Fleisch der übrigen Krebse aus den Schalen brechen, die Krebsschwanzschalen beiseite legen

250 g Langkornreis	in
kochendes Salzwasser	geben, zum Kochen bringen, in etwa 20 Minuten ausquellen lassen, auf ein Sieb geben, abtropfen lassen, den Reis in eine Reisrandform füllen, gut festdrücken, den Reisrand auf eine

	vorgewärmte Platte stürzen, warm stellen
500 g Morcheln	putzen, mehrmals gründlich abspülen, in
kochendes Salzwasser	geben, zum Kochen bringen, einmal aufkochen, abtropfen lassen, in dünne Scheiben schneiden
2 Schalotten	abziehen, fein würfeln
2 Eßl. Butter	zerlassen, die Schalottenwürfel darin glasig dünsten lassen, die Morchelscheiben hinzufügen, etwa 10 Minuten mitdünsten lassen
30 g Weizen- mehl	darüber stäuben, unter Rühren hellgelb werden lassen
250 ml (¼ l) Spargel- flüssigkeit	hinzugießen, gut verrühren, die Soße zum Kochen bringen, etwa 5 Minuten kochen lassen
250 ml (¼ l) Sahne	unterrühren, erhitzen, die Soße mit
Salz Pfeffer	würzen
1 Eßl. Zitronen- saft	unterrühren die Spargelstücke, das Krebs- fleisch in die Morchelsoße geben, erhitzen
2 Eigelb	verschlagen, das Frikassee damit legieren
2 – 3 Eßl. gehackte Petersilie	unterrühren das Frikassee in den Reisrand füllen

2 hartgekochte Eier	pellen, vierteln die Eiviertel mit den zurückge- lassenen Krebsschwanzschalen,
Petersilie Dill	um den Reisrand legen, mit dem zurückgelassenen Flußkrebs garnieren.

Morchel-Sandwich

200 g Morcheln	putzen, mehrmals gründlich abspülen, in
kochendes Salzwasser	geben, einmal aufkochen, abtropfen lassen, längs in hauchdünne Scheiben schneiden
1 Eßl. Butter	zerlassen, die Pilzscheiben darin andünsten
3 Eßl. trocke- nen Weißwein	hinzugießen, etwa 10 Minuten dünsten lassen, bis die Flüssigkeit verdampft ist, mit
Salz weißem Pfeffer	würzen die Morchelscheiben abkühlen lassen
4 Scheiben Weißbrot	toasten, mit
gesalzener Butter	bestreichen, die Morchelscheiben darauf verteilen.

Trüffeln

Die Perigordtrüffel ist der am höchsten geschätzte Speisepilz überhaupt. Sie ist nur schwer kultivierbar, und die Erträge sind in den letzten Jahrzehnten kontinuierlich zurückgegangen – seit 1900 um etwa 90%. Die Heimat dieser Trüffel ist eine Grafschaft im Südwesten Frankreichs, die dem Pilz den Namen gab. Der berühmte französische Gastronom Brillat-Savarin (1755 – 1825) nannte sie ‚Diamanten der Küche‘, der durch seine Dicht- und Kochkunst bekannte Dumas (1802 – 1870) ‚das Allerheiligste‘ für den Gourmet. Klassische Trüffeln sind schwarz. Es sind dies neben der französischen Perigordtrüffel ihre italienische Schwester und die diesen beiden geschmacklich am nächsten kommende Wintertrüffel.

Diese feinsten Trüffelarten sind sehr teuer und werden zuweilen verfälscht, entweder durch Beigabe anderer Pilze oder durch Einfärben von weniger schmackhaften, dafür aber häufiger vorkommenden Trüffelarten. Von den hellen Trüffeln sind die Piemontesischen Arten (Alba-, Magnatentrüffel) am begehrtesten. Die einzige bei uns wachsende Trüffel ist die Weißtrüffel, eine verhältnismäßig minderwertige Art. Sie liebt warme Gegenden und erscheint von Juli bis Oktober in Laub-oder Nadelwäldern. Meist liegt sie in ausgedehnten Nestern dicht unter der Erdoberfläche oder ragt nur wenig hervor.

Verwendet werden junge Früchte als Würzpilz und zwar in dünne Scheiben geschnitten und schnell (am besten im geöffneten Backofen bei ca. 40 Grad) getrocknet. Ältere Pilze sind nicht zu verwenden; sie riechen und schmecken unangenehm nach verfaulendem Lauch. Konservierte oder getrocknete Trüffeln sind von recht unterschiedlicher Qualität. Üblicherweise wird auch in Rezepten nicht zwischen den einzelnen Arten unterschieden, wodurch sich zum Teil widersinnige Zubereitungs- und Würzvarianten ergeben. Bei diesen sehr teuren Pilzen ist vor allem eines zu beachten: Trüffel ist nicht gleich Trüffel!

125

Spargelcremesuppe mit schwarzen Trüffeln

250 g Spargel	sorgfältig von oben nach unten schälen, die unteren Enden abschneiden, den Spargel waschen, in Stücke schneiden, in
250 ml (¼ l) kochendes Salzwasser	geben, zum Kochen bringen, etwa 15 Minuten kochen lassen, den Spargel herausnehmen, einige Spargelspitzen beiseite legen, den übrigen Spargel pürieren, wieder in die Kochflüssigkeit geben
40 g schwarze Trüffeln	unter fließendem kaltem Wasser sauber bürsten, abtropfen lassen, die Trüffeln dünn schälen, in dünne Scheiben schneiden
1 Eßl. Butter	zerlassen, die Trüffelscheiben darin in 25 – 30 Minuten gar dünsten lassen, warm stellen
50 g Butter 1 schwach gehäuften Eßl. Weizenmehl	zerlassen
	unter Rühren so lange darin erhitzen, bis es hellgelb ist
750 ml (¾ l) Hühnerbrühe	hinzugießen, mit einem Schneebesen durchschlagen, darauf achten, daß keine Klumpen entstehen, die Suppe zum Kochen bringen, etwa 5 Minuten kochen lassen
5 – 6 Eßl. Sahne	das Spargelpüree, unterrühren, erhitzen, die Suppe mit
Salz	würzen die gedünsteten Trüffelscheiben, die zurückgelassenen Spargelspitzen in die Suppe geben, erhitzen, die Spargelcremesuppe sofort servieren.

Trüffelbutter

40 g schwarze Trüffeln	unter fließendem kaltem Wasser sauber bürsten, abtropfen lassen, die Trüffeln dünn schälen, in feine Würfel schneiden
2 Eßl. Butter	zerlassen, die Trüffelwürfel darin andünsten
4 Eßl. trockenen Sherry	hinzugießen, die Trüffelwürfel in etwa 20 Minuten gar dünsten, erkalten lassen
150 g weiche Butter	mit den Trüffelwürfeln verkneten, mit
Salz weißem Pfeffer Zitronensaft	würzen aus der Butter kleine Kugeln formen, in Alufolie einschlagen, im Gefrierfach des Kühlschranks fest werden lassen.

Trüffelbutter zu gebratenem oder gegrilltem Fisch oder Meeresfrüchten servieren.

Tomatensalat mit Trüffeln

3 große Fleisch-tomaten	kurze Zeit in kochendes Wasser legen (nicht kochen lassen), in kaltem Wasser abschrecken, enthäuten, die Stengelansätze entfernen, die Tomaten in Scheiben schneiden, in einer flachen Salatschüssel schuppenartig anrichten
60 g weiße Trüffeln	unter fließendem kaltem Wasser sauber bürsten, abtropfen lassen, die Trüffeln dünn schälen, in dünne Scheiben schneiden die Trüffelscheiben in
125 ml (⅛ l) Champagner oder trockenen Sekt	geben, zum Kochen bringen, in etwa 20 Minuten gar dünsten, abtropfen lassen, die Dünstflüssigkeit auffangen die Trüffelscheiben auf den Tomatenscheiben anrichten
	für die Salatsoße
1 Schalotte	abziehen, fein würfeln, mit der Dünstflüssigkeit,
3 Eßl. Crème fraîche 1 Teel. Zitronensaft Salz Pfeffer Zucker	verrühren
1 Eßl. feinge-schnittenen Schnittlauch	unterrühren die Salatsoße über die Tomaten- und Trüffelscheiben geben.

Trüffeln in Portwein

4 schwarze Trüffeln (etwa 120 g)	unter fließendem kaltem Wasser sauber bürsten, abtropfen lassen, die Trüffeln dünn schälen, die Trüffelschalen in
250 ml (¼ l) Portwein	zum Kochen bringen, etwa 15 Minuten dünsten lassen, durch ein feines Sieb gießen, die Dünstflüssigkeit auffangen, die Schalen entfernen die Trüffeln in dünne Scheiben schneiden
1 – 2 Eßl. Butter	zerlassen, die Trüffelscheiben etwa 10 Minuten darin dünsten lassen, die aufgefangene Flüssigkeit hinzugießen, die Trüffelscheiben noch etwa 15 Minuten dünsten lassen, mit
Salz weißem Pfeffer 1 Becher (150 g) Crème fraîche	würzen
	unterrühren, zum Kochen bringen, die Trüffelsoße etwas einkochen lassen, mit
1 Eßl. gehack-ten Kerbel-blättchen	bestreuen.

Getrocknete Pilze

Getrocknet und zu Pulver zermahlen sind viele Speisepilze eine delikate Beigabe an Fleisch- und Fischgerichte, an Soßen, Suppen und Gemüse.

Nur wenige Pilze können getrocknet und eingeweicht wie Frischpilze verwendet werden, in erster Linie Steinpilze und Kulturchampignons. Das liegt daran, daß diese Pilze besondes gute Quelleigenschaften besitzen; sie nehmen beinahe soviel Flüssigkeit auf, wie sie beim Trocknen verloren haben. Ihr Fleisch ist dadurch fast so zart wie beim Frischpilz, schmeckt jedoch erheblich aromatischer und gart in etwa 20 Minuten.

Ein Pilz, der in der asiatischen Küche hohes Ansehen genießt und hier teuer als Importware bezahlt wird, obwohl er auch bei uns vorkommt, ist das Judasohr. Neben seinem Quellvermögen hat er zwei Eigenschaften, die sonst Pilze nicht haben: er hat kaum eigenes Aroma, nimmt daher den Geschmack der Zutaten, mit denen er zubereitet wird, gut auf und gibt jedem Gericht eine gallertartige Konsistenz, die jeder kennt, der einmal Gerichte mit chinesischen Black-Mushroom oder Mu-Err zubereitet hat.

Der Fruchtkörper vom Judasohr ist braun, von mehr oder weniger ohrförmiger Gestalt und wächst ganzjährig, vor allem jedoch von August bis März an Holunderholz, seltener auch an anderem Laubholz. Frisch ist er nicht zu genießen, doch schnell getrocknet (im offenen Backofen bei etwa 35 Grad) und wieder eingeweicht ist er eine Delikatesse.

Bei der Zubereitung wird folgendermaßen verfahren: Vom eingeweichten Pilz werden die zähen Stiele entfernt. Da der Pilz ungewaschen getrocknet wurde, ist er vor dem Einweichen gewissenhaft zu reinigen, damit das Einweichwasser mitverwendet werden kann.

Die Garzeit beträgt gut 10 Minuten. Oft wird der Pilz zusammen mit anderen asiatischen Pilzen wie Shiitake oder Reisstrohpilz zubereitet. In manchen Regionen Chinas kommt er fast an jedes Gericht; er wird so verwendet wie bei uns getrocknete Kräuter.

Kartoffelsuppe mit Steinpilzen

30 g getrockne-te Steinpilze	auf einem Sieb unter fließendem kaltem Wasser abspülen, etwa 10 Minuten in
125 ml (⅛ l) warmem Wasser	einweichen
500 g mehlig-kochende Kartoffeln	schälen, waschen, in Scheiben schneiden
2 Zwiebeln	abziehen, fein würfeln
5 Eßl. Speiseöl	erhitzen, die Zwiebelwürfel darin glasig dünsten lassen
2 Teel. Paprika edelsüß	unterrühren, die Kartoffelscheiben hinzufügen, andünsten lassen, mit
Salz Kümmel	würzen die Steinpilze mit dem Einweichwasser,
1¼ l Fleisch-brühe	hinzufügen, die Suppe zum Kochen bringen, in etwa 30 Minuten gar kochen lassen einige Steinpilzscheiben herausnehmen, grob hacken, beiseite stellen die Kartoffelsuppe pürieren
1 Becher (150 g) Crème fraîche	unterrühren, die Suppe erhitzen die gehackten Steinpilze,
1 Eßl. gehackte glatte Petersilie	über die Kartoffelsuppe streuen.

Hecht in Pilz-Kräuter-Soße

1 küchenferti-gen Hecht (etwa 1 kg)	unter fließendem kaltem Wasser abspülen, trockentupfen, in Portionsstücke schneiden, mit
Zitronensaft	beträufeln, etwa 20 Minuten stehenlassen, trockentupfen, die Fischstücke mit
Salz	bestreuen

für die Pilz-Kräuter-Soße

50 g getrockne-te Braune Egerlinge	auf einem Sieb unter fließendem kaltem Wasser abspülen, etwa 15 Minuten in
125 ml (⅛ l) warmem Wasser	einweichen, abtropfen lassen, das Einweichwasser auffangen
50 g Butter	in einem großen Kochtopf zerlassen
4 – 5 Eßl. gehackte Petersilie	
2 Eßl. gehackte Kerbel-blättchen	
1 Teel. gehackte Estragon-blättchen	
1 Teel. gehackte Salbeiblättchen	

½ Teel. gehackte Liebstöckel-blättchen	in der Butter andünsten, die abgetropften Egerlinge hinzufügen, in etwa 10 Minuten gar dünsten lassen, mit
Salz Pfeffer	würzen die Hechtstücke auf die Kräuter-Pilz-Masse geben, das Pilz-Einweichwasser,
125 ml (⅛ l) trockenen Weißwein	hinzugießen, die Fischstücke mit Pfeffer würzen, in etwa 20 Minuten gar dünsten lassen, heraus-nehmen, warm stellen
1 Teel. Speise-stärke wenig Wasser	mit anrühren, die Dünstflüssigkeit damit binden, die Hechtstücke in die Soße geben.
Beilage:	Petersilienkartoffeln.

Spaghetti mit Pilzsoße

Für die Soße

60 g getrock-nete Champig-nons oder Steinpilze	auf einem Sieb unter fließendem kaltem Wasser abspülen, etwa 15 Minuten in
250 ml (¼ l) warmem Wasser	einweichen, die Pilze abtropfen lassen, das Einweichwasser auffangen
2 Schalotten 1 Knoblauch-zehe	beide Zutaten abziehen, fein würfeln
3 – 4 Eßl. Butter	zerlassen, die Zwiebel- und Knoblauchwürfel darin glasig dünsten lassen, die Pilze hinzufügen, mitdünsten lassen, das Einweichwasser nach und nach hinzufügen, die Pilze in etwa 25 Minuten gar dünsten lassen
1 Eßl. Weizen-mehl 125 ml (⅛ l) Sahne	mit verschlagen, die Flüssigkeit damit binden, die Soße mit
Salz Pfeffer	würzen, warm stellen
	für die Spaghetti
400 g Spaghetti 4 – 4½ l kochendes Salzwasser 1 Eßl. Speiseöl	in geben hinzufügen, die Spaghetti zum Kochen bringen, ab und zu umrühren, in etwa 12 Minuten gar kochen lassen, auf ein Sieb geben, mit kaltem Wasser übergießen, abtropfen lassen, in einer vorgewärmten Schüssel anrichten, die Pilzsoße darüber geben, mit
80 g geriebe-nem Parmesan-Käse	bestreuen, sofort servieren.

Wirsing mit Steinpilzen

(Abb. nebenstehend)

150 g getrock- nete Steinpilze 1¼ l lau- warmem Wasser	etwa 20 Minuten in einweichen von
1 Kopf Wirsing- kohl (etwa 1½ kg)	die äußeren Blätter entfernen, den Kohlkopf gleichmäßig achteln, so daß die Blätter nicht auseinander-fallen die Steinpilze abtropfen lassen, die Einweichflüssigkeit auffangen, die Steinpilze zwischen den Wirsingblättern verteilen, die Blätter evtl. mit Holzstäbchen zusammenhalten die Kohlachtel mit
Salz, Pfeffer	würzen, in einen großen Kochtopf geben 500 ml (½ l) der Pilzflüssigkeit dazugießen, zum Kochen bringen, den Kohl in 20–30 Minuten gar dünsten lassen, herausnehmen, warm stellen die restliche Pilzflüssigkeit in den Topf gießen
2½–3 Becher (375–450 g) Crème fraîche	unterrühren, zum Kochen bringen, um etwa die Hälfte ein-kochen lassen, zu dem Kohl reichen.

132

Helle Soße
mit Ohrlappenpilzen

20 g getrockne-te Ohrlappen-pilze (Judasohr)	auf einem Sieb unter fließendem kaltem Wasser abspülen, etwa 2 Stunden in
250 ml (¼ l) Wasser	einweichen die Pilze abtropfen lassen, das Einweichwasser auffangen
1 große Zwiebel	abziehen, fein würfeln
3 Eßl. Speiseöl	erhitzen, die Zwiebelwürfel darin glasig dünsten lassen, die Ohrlappenpilze hinzufügen, etwa 5 Minuten dünsten lassen das Einweichwasser,
2 Eßl. Cream Sherry	hinzugießen, die Pilze noch etwa 15 Minuten dünsten lassen
1 Teel. Speise-stärke	mit
1 Eßl. kaltem Wasser	anrühren, die Soße damit binden, mit
Salz Sojasoße Zitronensaft	würzen.

Bohnensuppe mit Totentrompeten

200 g Weiße Bohnen	waschen, in
1½ l Wasser	12 – 24 Stunden einweichen, abgießen
500 g Schweinebauch (ohne Knochen)	waschen, abtrocknen, in Würfel schneiden die Weißen Bohnen, die Fleischwürfel in
2 l Salzwasser	zum Kochen bringen
20 g getrock-nete Toten-trompeten	auf einem Sieb unter fließendem kaltem Wasser abspülen, abtropfen lassen, nach 10 Minuten Kochzeit in die Brühe geben
2 mittelgroße Möhren	putzen, schrappen
1 Stück Sellerie (etwa 100 g)	schälen beide Zutaten waschen, in Würfel schneiden von
1 Stange Porree	das dunkle Grün bis auf etwa 12 cm entfernen, den Porree längs halbieren, in Streifen schneiden, gründlich waschen das Gemüse nach weiterer 10 Minuten Kochzeit in die Brühe geben, zum Kochen bringen die Suppe in etwa 20 Minuten gar kochen lassen, mit
Pfeffer **Speisewürze**	abschmecken

2 Eßl. gemisch-te gehackte Kräuter (glatte Petersilie, Kerbel, Pimpi-nelle)	darüber streuen.

Steinpilzsoße mit Sahne

50 g getrock-nete Steinpilze	auf einem Sieb unter fließendem kaltem Wasser abspülen, abtropfen lassen
1 – 2 Eßl. Butter	zerlassen, die Steinpilzscheiben darin etwa 5 Minuten dünsten lassen
1 Eßl. Weizen-mehl	darüber stäuben, unter Rühren so lange erhitzen, bis es hellbraun ist
250 ml (¼ l) Fleischbrühe	hinzugießen, gut verrühren, zum Kochen bringen, die Soße etwa 20 Minuten dünsten lassen, mit
Salz, Pfeffer Knoblauchsalz	würzen
125 ml (⅛ l) Sahne	mit
1 Eßl. Kräuter-Frischkäse	verschlagen, unter die Soße rühren, zum Kochen bringen, unter Rühren etwas kochen lassen, bis der Frischkäse gelöst ist
1 Eßl. gehackte Petersilie	unter die Steinpilzsoße rühren.

Blätterteig-Pizza mit Tomaten und Trockenpilzen

Für den Teig
die 3 Teigplatten aus

1 Packung (300 g) tiefgekühltem Blätterteig nebeneinanderlegen, auftauen lassen

für den Belag

50 g getrocknete Steinpilze auf einem Sieb unter fließendem kaltem Wasser abspülen, etwa 15 Minuten in

warmem Wasser einweichen, abtropfen lassen

100 g durchwachsenen Speck in Streifen schneiden

2 Eßl. Olivenöl erhitzen, die Speckstreifen darin ausbraten

2 große Zwiebeln abziehen, in Scheiben schneiden, in dem Speck-Fett glasig dünsten lassen, die Steinpilze hinzufügen, etwa 10 Minuten mitdünsten lassen
die Blätterteigplatten aufeinanderlegen, zu einer runden Platte (Durchmesser etwa 30 cm) ausrollen, den Teig auf den Boden einer Springform (Durchmesser etwa 28 cm) legen, den Springformrand darum geben, den Teig am Springformrand etwa 2 cm hochdrücken

etwa 300 g Tomaten (aus der Dose) abtropfen lassen, die Tomaten auf dem Boden verteilen, etwas zerdrücken, mit

Salz
Pfeffer würzen
2 Teel. gehackte Thymianblättchen
gehackte Rosmarinblättchen darüber Streuen
die Pilzmasse darüber geben, mit Salz, Pfeffer,

½ Teel. gerebeltem Oregano würzen
die Blätterteig-Pizza mit

etwa 100 g geriebenem Parmesan-Käse bestreuen
die Form auf dem Rost in den vorgeheizten Backofen schieben, die Pizza goldbraun backen

Strom: 175 – 200
Gas: 3 – 4
Backzeit: Etwa 20 Minuten.

Inhaltsverzeichnis

Butterpilz 12

Marone 18

Steinpilz 24

Alphabetisches Register

Wir danken
folgenden Firmen
für die freundliche
Unterstützung   Burda-Verlag, München
                     Gruner & Jahr AG & Co, Hamburg

C
21.12.06